アルケミスト

夢を旅した少年

パウロ・コエーリョ
山川紘矢＋山川亜希子＝訳

角川文庫
10305

O Alquimista, the Portuguese original edition
published in Brazil by Editora Rocco Ltd. (Rio de Janeiro)

First published in Japan
by Jiyusha Publishing Co., Ltd. in 1994
Japanese paperback reprint rights arranged
with Sant Jordi Asociados Agencia Literaria S. L.
and Jiyusha Publishing Co., Ltd.
through Japan UNI Agency, Inc.

Translated
by
Kouya Yamakawa and Akiko Yamakawa

Published in Japan
by
Kadokawa Shoten Publishing Co., Ltd.

目次

I　五
II　五九
エピローグ　一四
あとがき　一九七

I

少年の名はサンチャゴといった。少年が羊の群れを連れて見捨てられた教会に着いたのは、あたりがもう薄暗くなり始める頃だった。教会の屋根はずっと昔に朽ち果て、かつて祭壇だった場所には、一本の大きないちじくの木が生えていた。

少年はそこで一夜を過ごすことに決めた。彼は羊の群れが、壊れかけた門を通って中に入るのを見とどけてから、夜中に羊が迷い出さないように、何本かの棒を門にわたした。その地方におおかみはいなかったが、以前、一頭の羊が夜の間に外に迷い出たため、少年は次の日一日、その羊を探しまわらなければならなかった。

少年は上着で床のほこりをはらうと、読み終ったばかりの本をまくらにして横になった。この次はもっと厚い本を読むことにしようと、彼は独り言を言った。そうすれば、もっと長く楽しめるし、もっと気持ちのいいまくらになるだろう。

少年が目を覚ました時、あたりはまだ暗かった。見あげると、半分壊れている屋根のむこうに星が見えた。

「もう少し、寝ていたかったな」と少年は思った。彼は一週間前に見た夢と同じ夢を、その夜も見た。そしてその朝もまた、夢が終る前に目が覚めてしまった。

少年は起きあがると、柄の曲った杖《つえ》を手にして、まだ寝ている羊を起こし始めた。彼は自分が目を覚ますと同時に、ほとんどの羊たちも動き始めるのに気がついていた。それはまるで彼の生命《いのち》から湧《わ》き出る不思議なエネルギーが、羊たちの生命に伝わるかのようだった。彼はすでに二年間、羊たちと一緒に生活し、食べ物と水を求めて、田舎を歩きまわっていた。「羊たちは、僕に慣れて、僕の時間割りを知ってしまったみたいだ」と彼はつぶやいた。ちょっと考えてから、それは逆かもしれないと気がついた。自分が羊たちの時間割りに、慣れたのかもしれなかった。

しかし、羊たちの中には、目が覚めるのに、もう少し時間がかかるものもいた。少年は一頭ずつ、名前を呼びかけながら、杖で羊を突っついて起こしていった。彼はいつも、自分の話すことを羊が理解できると、信じていた。それで、時々羊たちに、自分がおもしろいと思った本の一部を読んでやったり、野原での自分のさびしさや幸せを、話してやったりした。時には自分たちが通り過ぎた村で見たことについて、自分の意見を聞かせることもあった。

しかし、このところの数日間は、少年はたった一つのことしか、羊たちに話していなかった。それはある少女のことだった。あと四日で到着する村に住む商人の娘のことだった。その村へは、まだ、一度しか行ったことがなかった。それは去年のことだった。その商人は呉服屋の主人で、だまされないために、いつも自分の目の前で、羊の毛を刈るように要求した。友達がその店のことを教えてくれたので、少年はそこへ、羊を連れていったのだった。

☆

「羊の毛を売りたいのです」と少年は商人に言った。店が忙しかったので、商人は少年に、午後まで待つように言った。そこで少年は、店の入口の階段にすわると、本をかばんの中から取りだした。

「羊飼いが本を読めるなんて、知らなかったわ」と、少女の声が、うしろから聞こえた。

その少女は、アンダルシア地方の典型的な容姿をしていた。かすかにムーア人の征服者たちのことを思い出させる、流れるような黒髪と、黒い瞳《ひとみ》をしていた。

「ふだんは、本より羊の方からもっと学ぶんだよ」と少年は答えた。二人は二時間も話した。その間、彼女は自分は商人の娘で、村の生活は毎日が同じことのくり返しだ、と言った。羊飼いの少年は、アンダルシアの田舎のことを話し、彼が泊まった他の町のニュースを伝えた。それは羊と話すより、ずっと楽しかった。

「どうやって、読み方を習ったの?」と話の途中で、彼女が聞いた。

「他の人と同じさ」と彼は言った。「学校でだよ」

「あなたは字が読めるのに、なぜ羊飼いをやっているの?」

少年は彼女の質問に答えるのをさけて、口の中でぶつぶつ言った。彼女には決して理解できないだろうという気がしたからだ。彼は自分の旅の話を続けた。すると、彼女は賢そうなムーア系の黒い瞳を大きく見開いて、こわがったり、驚いたりした。時間がたつうちに、少年は、その日が終らなければいいと願っている自分を発見した。そして彼女の父親がずっと忙しくて、自分を三日間待たせたらよいのにと思った。彼は自分が、今までに経験したことのないような気持ちになっているのに気がついた。それは、一ヵ所にずっと住みつきたいという希望だった。黒髪の少女と一緒にいれば、自分の毎日は決して同じではないだろうと、彼は思った。

しかし、ついに商人が現われて、少年に四頭の羊の毛を刈るように頼んだ。彼は羊の毛の代金を支払い、少年に来年もまた来るようにと言った。

☆

そして今、少年は、あと四日で、その同じ村に戻るところだった。彼は興奮し、同時に不安だった。たぶん、少女はもう彼を忘れてしまっただろう。たくさんの羊飼いが、羊毛を売りに村を通り過ぎてゆくのだ。

「それでも平気さ」と彼は羊たちに言った。「他の場所にも少女はいるのだから」

しかし、彼は心の中で、平気ではない、と知っていた。そして、船乗りや、行商人たちと同じように、羊飼いもまた、自由な旅の喜びを忘れさせる誰かがいる町を、いつか必ず見つけることを、知っていた。

夜が明け始めた。羊飼いの少年は、羊を追って太陽の方向へ進んだ。「羊たちは、何も自分で決めなくてもいいんだな」と、少年は思った。おそらく、それが、いつも自分にくっついている理由なのだろう。

羊たちの興味はと言えば、食べ物と水だけだった。アンダルシアで一番良い牧草地の見つけ方を少年が知っている限り、羊たちは彼の友達でいるだろう。そう、彼らの毎日はいつも同じ日の出から日没までの、限りなく続くように思える時間だけだった。彼らは若い時に本を読んだこともなく、少年が都会のようすを話しても何のことかわからなかった。彼らは食べ物と水さえあれば満足していた。そのかわり、彼らは羊毛と友情、そしてたった一度だけだが、自分の肉を気前よく与えてくれた。

もし僕が、今日、すごく残忍な男になって、一頭ずつ殺すことにしたとしても、ほとんどの仲間が殺されてしまってから、彼らはやっと気がつくのだろう、と少年は思った。彼らは僕を信頼していて、もう自分たちの本能に従うことを忘れている。それは僕がいつもおいしい草のあるところへ連れてゆくからだ。

少年は自分の考えに驚いた。いちじくが生えている教会にいた悪い霊にとりつかれたのかもしれない。その悪い霊が、自分に同じ夢を二度も見させて、自分の忠実な仲間に不満を感じさせたのだ。彼は昨夜の夕食の時に残したぶどう酒を少し飲んでから、上着の前をかき合わせた。これから何時間かたつと、太陽が頭の真上にきて気温が高くなり、羊の群れを連れて平野を進むことができなくなることを、少年は知っていた。それは夏の間、スペイン中が昼寝をする時間だった。猛暑は日暮まで続き、それまでは上着をかかえていなければならなかった。上着の重さに文句を言おうとした時、彼は、上着があるからこそ、明け方の寒さをしのげるのだと思いなおした。

僕たちは変化にそなえておかなければならないのだ、と少年は思った。すると、上着の重さと温かさが、ありがたく感じられた。

上着には目的があった。そして少年にも目的があった。彼の人生の目的は旅をすることだった。二年間アンダルシアの平原を歩きまわって、彼はその地域のすべての町を知っていた。今度少女に会ったら、羊飼いの身で、どうして本が読めるようになったのか、彼女に次のように説明しようと思っていた。少年は十六歳まで神学校にいた。彼の両親は少年を神父にして、あまり豊かでない農家の自慢にしたかった。彼らは羊と同じように、ただ食べ物と水を得るために、一生懸命働いてきた。少年はラテン語とスペイン語と神学を学んだ。しかし、彼は小さい時から、もっと広い世界を知りたいと思っていた。そのことの方が、神を知ったり、人間の原罪を知ることより、彼にとっては重要だった。ある日の午後、家族のもとに帰った彼は、勇気をふりしぼって、自分は神父にはなりたくない、自分は旅がしたいのです、と父親に言った。

☆

「息子よ、世界中から旅人がこの町を通り過ぎていったではないか」と父親が言った。「彼らは何か新しいものを探しに来る。しかし、帰る時も、彼らは基本的には来た時と同じままだ。彼らは城を見るために山に登る。そして、私たちが今もっているものより、昔の方が良かったと、結論づけるだけなのだ。彼らは金髪だったり、肌の色が黒かったりもする。だが、ここに住む人たちと、基本的には同じ人間なんだよ」

「でも僕は、彼らが住む町の城を見たいんです」と少年は説明した。

「旅人たちは私たちの土地を見て、自分もずっとここに住みたい、と言うんだよ」と父親は続けた。

「でも僕は、彼らの住む土地を見たいんです。彼らがどうやって生活しているかも見たいんです」と息子は言った。

「ここに来る人たちは、とてもたくさんお金を持っているから、旅をすることができるのだよ」と父親が言った。「私たちの仲間で、旅ができるのは羊飼いだけだ」

「では、僕は羊飼いになります!」

父親はそれ以上、何も言わなかった。次の日、父親は三枚の古いスペイン金貨が入った袋を少年に与えた。

「これは、ある時野原で見つけたものだ。これをおまえに残す遺産の一部にしようと思っていた。しかし、これで羊を買いなさい。そして野原に行きなさい。いつかおまえにも、私たちの田舎が一番良い場所で、ここの女性が一番美しいとわかるだろう」

父親は少年を祝福した。少年は父親の目の中に、自分も世界を旅したいという望みがあるのを見た。それは、何十年もの間、飲み水と食べるものと、毎晩眠るための一軒の家を確保するために深くしまいこまれていたものの、今もまだ捨てきれていない望みだった。

☆

地平線が赤く染まった。その時、突然、太陽が顔を出した。少年は父親との会話を思い出して、幸せな気持ちになった。彼はすでに多くの城を見、多くの女たちに出会っていた。（しかし、何日か後に会うことになっている少女に匹敵する者はいなかった）。彼は一枚の上着と、他の本と交換できる一冊の本、そして羊の群れを持っていた。しかし、最も大切なことは、少年が日々、自分の夢を生きることができることだった。もし、アンダルシアの平野にあきてしまったら、羊を売って、船乗りになることもできた。海にあきてしまう頃までには、多くの町を見、他の女たちに会い、幸福になる他のチャンスにもめぐり合っているだろう。神学校では、僕は神様を見つけることができなかったと、朝日が昇るのを見ながら、少年は思った。

少年は、できるだけまだ通ったことのない道を旅するようにしていた。彼はその地方を何度も訪れたことがあったが、今まで一度も、その見捨てられた教会に行き当ったことはなかった。世界は大きくて、無尽蔵だった。しばらく羊たちに、行き先を自由にまかせておけば、彼は何かおもしろいものを見つけ出した。問題は、羊たちは毎日新しい道を歩いているということに、気がついていないことだった。彼らは新しい場所にいることも、季節の移り変わりさえも知らなかった。彼らが考えることは、食べ物と水のことだけだった。

人間も同じかもしれない、と少年は考えた。僕だって同じだ。あの商人の娘に会ってから、他の女の人のことを考えたこともないのだから。太陽を眺めながら、タリファの町には正午前に着けるだろうと、彼は計算した。そこで、今持っている本をもっと厚い本と交換し、びんを新しいぶどう酒で満たし、ひげをそって、髪を切ってもらおう。彼は少女と会う準備をしなければならなかった。他のもっと大きな羊の群れを連れた羊飼いが、自分より先に町に着いて、彼女に結婚を申し込んだ可能性については、考えたくなかった。

少年は太陽の位置をもう一度たしかめながら、夢が実現する可能性があるからこそ、人生はおもしろいのだ、と思った。そして、歩く速度を早めた。彼はその時、タリファに夢を解釈してくれる老女がいることを、思い出した。

☆

老女は奥の部屋へと、少年を招き入れた。そこは色のついたビーズのカーテンで、居間と仕切られていた。部屋には一つのテーブルとイエスの像と、二つのいすがあった。

その女性はいすにすわると、少年にもすわるように言った。それから、少年の両手を自分の手にとると、静かに祈り始めた。

それはジプシーの祈りのように聞こえた。少年は以前、道でジプシーに出会ったことがあった。ジプシーたちも旅をしていたが、彼らは羊を連れてはいなかった。ジプシーは人をだまして生活しているといううわさだった。また、悪魔と協定をむすんでいるとも言われていた。子供を誘拐して、彼らの不思議なキャンプへ連れてゆき、奴隷にするというわさもあった。少年は幼い頃、ジプシーに連れてゆかれるのではないかと、死ぬほど恐れていた。老女が彼の両手をにぎった時、幼い頃のその恐怖がよみがえった。

でもこの人は、イエス様の像をかざっているのだから、と少年は考えて、自分を安心させようとした。彼は、自分の手がふるえて、老女にこわがっていることをさとられるのがいやだった。そこで心の中で、お祈りの言葉をとなえた。

「これはおもしろい」と老女は少年の手から目をはなさずに言うと、黙ってしまった。

少年は緊張した。彼の手がふるえ始め、老女はそれに気がついた。彼は急いで手をひっこめた。

「僕は手相を見てもらいに来たんじゃありません」来なければよかったと後悔しながら、彼は言った。少年はお金を払って何も聞かないで帰った方がいいと、とっさに考えた。そして、同じ夢をくり返し見たことを、あまり気にしすぎたのだと思った。

「夢のことを知ろうとして、ここに来たのだね」と老女が言った。「夢は神のお告げだよ。神がわれわれの言葉を話す時には、わしは彼が何と言ったか解釈することができるのさ。しかし、神が魂のことばを話す時、それがわかるのはおまえだけさ。でも、いずれにしても、お代はいただくよ」

またださそうとしている、と少年は思った。しかし彼は、いちかばちか試してみることにした。羊飼いはおおかみに出会う時も、かんばつの時も、いつもいちかばちか冒険してみるのだ。それが羊飼いの人生がおもしろいゆえんだった。

「同じ夢を二度見たのです」と彼は言った。「夢の中で、僕は羊と一緒にいました。すると一人の子供が現われて、羊と遊び始めました。大人がそんなことをするのは、僕は嫌いです。羊は知らない人をこわがるから。でも子供たちは羊をこわがらせずに一緒に遊ぶことができるんです。どうしてかわかりませんが。動物たちがどうやって人間の年齢を知るのか、僕にはわかりません」

「おまえの夢のことをもっと話しなさい」と老女が言った。「わしは料理をしに戻らなくてはならないからね、おまえはあまりお金がなさそうだから、おまえのために、あまり時間はかけられないよ」

「その子供は、かなりの時間、僕の羊たちと遊んでいました」と少年は少しうろたえながら話し続けた。「すると突然、その子は、僕の両手をつかむと、僕をエジプトのピラミッドまで連れていったのです」

彼はしばらく待って、この老女がエジプトのピラミッドのことを知っているかどうか知ろうとした。しかし老女は何も言わなかった。

「それで、そのエジプトのピラミッドのそばで」と、少年はエジプトのピラミッドという言葉を老女が理解できるように、ゆっくりと話した。「その子供は僕に言いました。『あなたがここに来れば、隠された宝物を発見できるよ』そして、その子が正確な場所を教えようとした時、僕は目を覚ましてしまったんです。二回ともね」

老女はしばらく、何も言わなかった。それから彼女はもう一度、彼の手をとると、注意深く手のひらを見つめた。

「今はお金をもらわないよ」と老女が言った。「だが、もしおまえが宝物を見つけたら、その十分の一をわしにおくれ」

少年は笑った。うれしかった。宝物の夢のおかげで、持っているお金を使わずにすむことになったのだ！

「では、夢を解釈して下さい」と少年が言った。

「まず最初に、わしに約束しなさい。わしがこれからおまえに言うことの代価として、宝物の十分の一をくれると約束するかね」

羊飼いの少年はそうすると約束した。老女は、イエスの像を見てもう一度誓うように要求した。

「その夢はこの世の言葉だよ」と彼女は言った。「だから、わしは解釈できる。だが、解釈はとてもむつかしい。だから、おまえの見つけるものの一部をもらう資格があるのさ。わしの解釈は次の通りだよ。おまえはエジプトのピラミッドに行かねばならない。ピラミッドのことは一度も聞いたことがないが、おまえにそれを見せたのが子供だったのなら、それはあるということだ。そこでおまえは宝物を見つけてお金持ちになるのさ」

少年はびっくりし、それから怒りが湧《わ》いてきた。こんなことのためなら、この老女のところに来る必要はなかったのだ！ しかしその時、少年はお金を払わなくてもいいことを思い出した。

「そんなことを言ってもらうために、時間をむだにするんじゃなかった」と少年が言った。

「おまえの夢はむつかしいと、さっき言っただろう。人生で簡単に見えるものが、実は最も非凡なんだよ。賢い人間だけがそれを理解できるのさ。わしは賢い人間ではないから、何か技術を学ばなければならなかったのだよ。手相を読む技術とかをね」

「では、エジプトにはどうやって行くの？」

「わしはただ夢を解釈するだけさ。それをどう実現するかは知らないよ。だからこうして娘に養われているというわけさ」

「もし僕がエジプトに行けなかったらどうなるの？」

「わしがお代を払ってもらえなくなるのさ。そんなことはよくあることだよ」

そして、おまえさんのために、時間をずい分とむだにしてしまった。もう行きなさいと老女は言った。

少年は失望し、もう二度と夢は信じないことにしようと決めた。彼は、しなくてはならないことがいくつかあることを思い出した。そして、市場に食べ物を買いに行き、自分の本をもっと厚い本と交換してから、広場にベンチを見つけると、買ってきた新しいぶどう酒の味見をした。その日はとても暑く、ぶどう酒は気持ちをさわやかにしてくれた。羊たちは、町の門の近くの友人が持っている家畜小屋にいた。少年はその町に知り合いがたくさんいた。それが彼にとっての旅の魅力だった。彼にはいつも新しい友人ができたが、すべての時間を彼らと過ごす必要はなかった。神学校にいた時そうであったように、同じ友人といつも一緒にいると、友人が自分の人生の一部となってしまう。すると、友人は彼を変えたいと思い始める。そして、彼が自分たちの望み通りの人間にならないと、怒りだすのだ。誰もみな、他人がどのような人生を送るべきか、明確な考えを持っているのに、自分の人生については、何も考えを持っていないようだった。

彼は、羊と一緒に平原に戻るのは、太陽がもっと沈んでからにしようと思った。今日から三日後、あの商人の娘と会うのだ。

彼は新しく手に入れた本を読み始めた。第一ページ目に、葬式について書いてあった。

登場人物の名前はむつかしすぎて発音できなかった。僕がいつか本を書く時には、一度に一人の名前だけをあげ、読者が何人もの名前を憶えなくてもすむようにしよう、と少年は思った。

やっと本に集中できるようになると、その本がだんだん好きになった。その葬式は雪の日にとり行われていて、彼は寒さの感覚を思い出してそれを楽しんだ。読んでいると、一人の老人が少年のそばにすわり、彼に話しかけた。

「あの人たちは何をしているのかね?」とその老人は広場にいる人たちの方を指さして聞いた。

「働いているのです」と少年はぶっきらぼうに答えた。自分は読書に集中したいと思わせるためだった。

実際は、少年はあの商人の娘の前で、羊の毛を刈ることを考えていた。そうすれば、彼がむつかしいことのできる人だと、彼女はわかるだろう。彼はすでに何度も何度もその場面を想像していた。少年が、羊はうしろから前の方に毛を刈ってゆくのだと説明するたびに、少女は感心するのだった。少年は羊の毛を刈りながら話すために、おもしろい話をいくつか憶えようとした。そのほとんどは本で読んだものだったが、自分の経験のように話そうと思っていた。彼女は字が読めないのだから、その違いには絶対に気がつかないだろう。

一方、さっきの老人は相変わらず、何とかして彼と話そうとしていた。そして、疲れてのどが乾いているので、ぶどう酒を一口もらえないだろうか、と少年に頼んだ。自分を一人に放っておいてほしいと思いながら、少年は自分のびんをさし出した。

しかし、その老人は話をしたがった。そして少年に、何の本を読んでいるのかとたずねた。少年はいじわるをして、他のベンチに移りたかったが、父親から、年長者には敬意をもって接するように教え込まれていた。そこで彼は、本を老人の方にさし出した。それには二つの理由があった。第一に、少年はその題名をどう発音するのかよく知らなかった。第二に、もし老人が読み方を知らなければ、きっと恥ずかしく思って自分から他のベンチに行ってしまうだろう、と思ったからだ。

「フーム」と老人は言い、まるで奇妙なものでも見るかのように、本のあちこちを眺めまわした。「これは重要な本だ。でも本当にいらいらする本だな」

少年はショックを受けた。老人は字が読めるのだ。そしてすでに、その本を読んでいたのだ。そしてこの老人が言うように、もしこの本がいらいらする本であるならば、少年にはまだ他の本と交換する時間があった。

「この本は、世界中のほとんどの本に書かれていることと同じことを言っている」と老人が言った。「人は自分の運命を選ぶことができない、と言っているのだよ。そして最後に、誰もが世界最大のうそを信じている、と言っている」

「世界最大のうそって何ですか？」と、すっかり驚いて、少年は聞いた。

「それはこうじゃ、人は人生のある時点で、自分に起こってくることをコントロールできなくなり、宿命によって人生を支配されてしまうということだ。それが世界最大のうそじゃよ」

「そんなことは、僕の人生には起こらなかったよ」と少年が言った。「両親は僕に神父になってほしかったんだ。でも僕は羊飼いになると自分で決めたのさ」

「その方がずっとよい」と老人が言った。「おまえは本当に旅をすることが好きだからな」

「この人は僕の考えていることを知っているぞ」と少年は思った。その間、老人は本をパラパラとめくっていた。もう少年に返したくないようだった。その男の着ているものが、見慣れぬものであることに少年は気がついた。老人はアラブ人のように見えた。アラブ人はこの地方ではあまりめずらしくなかった。アフリカはタリファからたったの二、三時間のところだった。船で狭い海峡を渡ればいいだけだった。アラブ人はよくこの町を訪れ、買いものをしたり、一日に何回も変わったお祈りをあげたりしていた。

「あなたはどこから来たのですか？」と少年が聞いた。

「そこら中からだよ」

「誰もそこら中からは来ませんよ」と少年が言った。「僕は羊飼いです。そこら中に行きましたが、僕は一つの場所から来ました。古い城のある町からです。そこが僕の生まれ故郷です」

「それならば、わしはセイラムで生まれたということだ」

少年はセイラムがどこにあるか、知らなかった。しかし、自分がものを知らないように見えるのがこわくて、聞いてみようとはしなかった。少年はしばらくの間、広場にいる人々の方を眺めた。人々は行ったり来たりして、みんなとても忙しそうだった。

「それでセイラムはどんなところです？」と何かヒントをつかもうとして少年がたずねた。

「いつもの通りだよ」

まだヒントは得られなかった。セイラムがアンダルシアにはない、ということはわかっていた。もしあったとしたら、今までに聞いたことがあるはずだった。

「セイラムで、あなたは何をしていたのですか？」と彼はなおも聞いた。

「わしがセイラムで何をしていたかだって？」と老人は笑った。「そうさ、わしはセイラムの王様さ」

人は妙なことを言うものだと少年は思った。時には、何も言わない羊たちと一緒の方がずっと良い。もっと良いのは、本と一緒の時だ。本は自分が聞きたいと思う時に、信じられないような物語を話してくれる。しかし、人と話していると、彼らはあまりに変なことを言うので、会話をどう続ければいいのか、わからなくなってしまう。

「わしの名はメルキゼデックだ」と老人は少年に言った。「おまえは羊を何頭持っているのかね？」

「十分持っています」と少年が答えた。老人が自分の人生についてもっと知りたがっているのが、彼にはわかった。

「そうなるとじゃ、それは問題だ。おまえがもう十分な羊を持っていると思うのなら、わしはおまえを助けられないな」

少年はだんだんいらいらしてきた。自分は助けてくれと頼んでもいなかった。自分のぶどう酒を飲みたいと頼み、会話を始めたのは老人の方だった。

「本を返してください」と少年は言った。「僕は今から羊たちを集めて、出かけなければなりません」

「おまえの羊の十分の一をわしにおくれ」と老人は言った。「そうすれば、どうやって隠された宝物を探せばいいか、教えてあげよう」

少年は夢のことを思い出した。すると突然、すべてが明らかになった。あの老女は僕から代金をとらなかった。しかし、もしかしたらこの老人は彼女の夫かもしれない。そして、ありもしない宝物の情報と交換に、もっとたくさんのお金をとろうとしているのだ。この老人もきっとジプシーなのだろう。

しかし、少年が何も言わないうちに、老人はかがみこんで一本の棒を拾うと、広場の砂の上に何か書き始めた。老人の胸から明るい光が反射し、あまりの明るさに、少年は一瞬目が見えなくなった。老人はその歳にしては非常にすばやい動作で、マントでその光をおい隠した。視力が元に戻ると、少年は老人が砂の上に書いたものを読むことができた。

その小さな町の広場の砂の上には、少年の父親の名前と母親の名前と、彼が通った神学校の名前が書かれていた。また、まだ少年が知らない商人の娘の名前と、これまで少年が誰にも話したことがないこともいろいろ書かれていた。

☆

「わしはセイラムの王様さ」とその老人は言っていた。

「どうして王様が羊飼いの僕と話をするのですか？」と、少年は当惑しながらたずねた。

「いくつかの理由がある。しかし一番重要なのは、おまえが自分の運命を発見したということだ」

少年は人の「運命」がどういうものかわからなかった。

「おまえがいつもやりとげたいと思ってきたことだよ。誰でも若い時は自分の運命を知っているものなのだ。

まだ若い頃は、すべてがはっきりしていて、すべてが可能だ。夢を見ることも、自分の人生に起こってほしいすべてのことにあこがれることも、恐れない。ところが、時がたつうちに、不思議な力が、自分の運命を実現することは不可能だと、彼らに思い込ませ始めるのだ」

老人の言っていることはどれも、少年にはあまり意味のないことのように思われた。しかし、彼は、その「不思議な力」が何か知りたかった。もし、商人の娘にそのことを話したら、きっと彼女は感心してくれるだろう。

「その力は否定的なもののように見えるが、実際は、運命をどのように実現すべきかおまえに示してくれる。そしておまえの魂と意志を準備させる。この地上には一つの偉大な真実があるからだ。つまり、おまえが誰であろうと、何をしていようと、おまえが何かを本当にやりたいと思う時は、その望みは宇宙の魂から生まれたからなのだ。それが地球におけるおまえの使命なのだよ」

「したいと思うことが、旅行しかないという時もですか？　呉服屋の娘と結婚したいという望みでもですか？」

「そうだ。宝物を探したいということでさえそうなのだ。『大いなる魂』は人々の幸せによってはぐくまれる。そして、不幸、羨望《せんぼう》、嫉妬《しっと》によってもはぐくまれる。自分の運命を実現することは、人間の唯一の責任なのだ。すべてのものは一つなんだよ。

おまえが何かを望む時には、宇宙全体が協力して、それを実現するために助けてくれるのだよ」

二人ともしばらく黙ったまま、広場と町の人々をながめていた。先に口を開いたのは老人だった。

「おまえはなぜ、羊の世話をするのかね？」

「旅がしたいからです」

老人は、広場の一角にある自分の店のショーウィンドウの横に立っているパン屋を指さした。「あの男も、子供の時は、旅をしたがっていた。しかし、まずパン屋の店を買い、お金をためることにした。そして年をとったら、アフリカに行って一カ月過ごすつもりだ。人は、自分の夢見ていることをいつでも実行できることに、あの男は気がついていないのだよ」

「羊飼いになればよかったのに」と少年は言った。

「そう、彼はそのことも考えたよ」と老人が言った。「しかし、パン屋の方が羊飼いより、立派な仕事だと思ったのさ。パン屋は自分の家が持てる。しかし、羊飼いは外で寝なくてはならないからね。親たちは娘を羊飼いに嫁にやるより、パン屋にやりたがるものさ」

商人の娘のことを考えて、少年の心はズキンと痛んだ。彼女の町にもパン屋がいるにちがいない。

老人は話し続けた。「結局、人は自分の運命より、他人が羊飼いやパン屋をどう思うかという方が、もっと大切になってしまうのだ」

老人は本をパラパラとめくると、開いたページを読み始めた。少年は待っていた。やがて、自分がさっきされたように、老人に話しかけた。「あなたはなぜこのようなことを僕に話すのですか？」

「それは、おまえが運命を実現しようとしているからだよ。それに、今、もう少しですべてをあきらめようとしているからだ」

「あなたはそういう時にいつも現われるのですか？」

「いつもこうだとは限らないが、わしは必ずいろいろな形で現われるのだ。時には一つの解決法とか、良い考えとなって現われることもある。別の時には、危機一髪という時に、ものごとを起こりやすくしてあげることもある。もっと他のこともいろいろとしているが、ほとんどの場合、人はわしがやってあげたということに気がつかないのだよ」

老人は一週間前、ある鉱夫の前に現われざるを得なかったこと、しかも、一つの石になって現われた話をした。その鉱夫はすべてを捨てて、エメラルドを探しに行った。五年間、彼はある川で働き、エメラルドを探して、何十万個という石を調べた。その鉱夫はあと一つ、たったもう一つの石を調べれば、エメラルドを発見するという時点で、すべてをあきらめようとしていた。彼は自分の運命を追求するために、すべてを犠牲にしていたので、老人は手を出すことにした。彼は石に身を変え、鉱夫の足元にころがった。鉱夫は五年間もみのりのない年月への怒りといらだちから、その石を拾いあげると投げつけた。しかし、力まかせに投げたために、その石が当った石が砕けた。すると、壊れた石の中に、世界中で最も美しいエメラルドが入っていた。

「人は、人生の早い時期に、生まれてきた理由を知るのだよ」と老人がある種の皮肉をこめて言った。「おそらく、人がこんなにも早い時期にそれをあきらめるのは、そのせいだろう。しかし、それはそうなるべくしてなっているのさ」

少年は老人に、宝物についてあなたは何か言っていましたね、とたずねた。

「宝物は流れる水の力によって姿を現わし、また同じ流れによって姿を隠すのだよ」と老人は言った。「もしおまえの宝物について知りたかったら、羊の十分の一を私によこしなさい」

「宝物の十分の一でどうでしょうか?」

老人は失望したようだった。「まだ手に入れていないものをあげると約束して始めたのでは、おまえはそれを手に入れたいとは思わなくなるだろうね」

少年は、ジプシーに宝物の十分の一をあげる約束をすでにしたことを、彼に話した。

「ジプシーはそういう約束をさせる専門家だよ」と老人はため息をついた。「とにかく、おまえは、人生のすべてには代価が必要だということを学ぶことができてよかったではないか。光の戦士が教えていることはそれだからね」

老人は本を少年に返した。

「あした、今日と同じ時刻に、おまえの羊の十分の一を連れておいで。そうすれば、隠されている宝物の見つけ方を教えてあげよう。ではさようなら」

老人は広場の角をまわって、姿を消した。

☆

少年は再び本を読み始めた。しかし、もう本に集中することができなかった。彼は緊張し、気が動転していた。老人の言ったことが正しいと知っていたからだ。彼はパン屋に行って、一斤のパンを買った。そして老人がパン屋について話したことを彼に言うべきかどうか、迷っていた。時にはものごとは、そのままに放っておいた方がいい場合があると、彼は一人で考え、何も言わないことにした。もし彼が何か言ったとしたら、パン屋は、今までの生き方にずっと慣れていたのに、すべてを捨てることを三日間も考えるかもしれなかった。少年はパン屋にそんな苦しみを与えることはできなかった。そこで少年は町をぶらぶら歩いて、門のところまで来た。そこには小さな建物があり、窓口で人々はアフリカ行きの切符を買っていた。少年はそこで、エジプトはアフリカにあると知った。

「何かお要りようですか？」と窓のむこうの男が聞いた。

「明日、また来ます」と少年は言って、そこを立ち去った。もし、羊を一頭売れば、海峡のむこう側まで行けるだけのお金を、手に入れることができるだろう。そう考えると、恐ろしくなった。

「夢想家がもう一人」と切符売りは少年が立ち去るのを見て、彼の助手に言った。「彼は旅をするお金がないのだ」

切符売りの窓口に立った時、少年は自分の羊を思い出して、やはり、羊飼いのままでいようと決心した。二年の間に、彼は羊飼いの仕事をぜんぶ覚えてしまった。羊の毛の刈り方、身ごもった雌のめんどうの見方、そしておおかみからの羊の守り方など、みんな知っていた。彼はアンダルシアのすべての平原と牧草地を知りつくしていた。そして、自分の羊のそれぞれの正当な値段も知っていた。

彼は一番遠まわりして、友人の家畜小屋まで戻ることにした。町の城のそばまで来た時、彼は足をとめて、石の斜面を登って城壁の上に出た。そこから遠くにアフリカが見えた。ムーア人はそこから来て、スペイン全体を征服したと、昔、誰かが話してくれた。彼がすわっている場所から、ほとんど町の全体が見えた。老人と話をした広場も見えた。あの老人と出会わなければよかった、と少年は思った。この町に来たのは、夢を解釈できる老女を見つけにきただけだったのに。老女も老人も自分が羊飼いだということに、少しも感心してくれなかった。彼らは孤独な人たちで、もはや何ものも信じていなかった。だから羊飼いが羊に執着することがわからないのだ。少年は自分の羊の群れの一頭一頭について すべてを知っていた。どの羊が脚をひきずっているか、どの羊が二ヵ月後に子供を産むか、どの羊が一番なまけ者か知っていた。少年は羊の毛の刈り方も、殺し方も知っていた。もし、彼らと別れる決心をしたら、羊たちは悲しむことだろう。

風が吹き始めた。彼はこの風を知っていた。人々はその東風をレバンタールと呼んでいた。この風に乗って、地中海の東のレバントから、ムーア人がやってきたからだ。

東風が強くなった。自分は羊と宝物の間で迷っている、と少年は思った。彼は今まで慣れ親しんできたものと、これから欲しいと思っているものとのどちらかを、選択しなければならなかった。商人の娘のこともあったが、彼女のことは羊ほど重要ではなかった。彼女は彼を頼っていないからだ。もしかしたら、彼女は少年のことを憶えてさえいないかもしれなかった。どの日に彼が現われたとしても、彼女にとって違いがないことは確かだった。彼女にとっては、毎日が同じだった。毎日が次の日と同じだということは、太陽が昇るというような、毎日起こっているすばらしいことに、気がつかないからなのだ。

僕はかつて父、母、生まれた城の町をあとにした。両親は僕のいないことに慣れ、僕もそれに慣れた。羊たちもまた僕のいないことに慣れるだろう、と少年は思った。

彼のすわっている場所から、広場が見えた。パン屋の店に人が出たり入ったりしていた。老人と話をしたベンチには、若いカップルがすわっていた。そして二人はキスをした。

「あのパン屋は……」と少年は終りまで考えずに独り言を言った。東風はいっそう強くなり、彼の顔に当った。この風がムーア人を連れてきたのだ。しかし、この風は、砂漠と、ベールをした女性の香りも運んできた。東風は、未知を求め、金や冒険、そしてピラミッドを探しにいった男たちの、汗や夢を運んできた。少年は風の自由さをうらやましく思った。そして自分も同じ自由を手に入れることができるはずだと思った。自分をしばっているのは自分だけだった。羊たちも、商人の娘も、アンダルシアの平原も、彼の運命への道すじにあるステップにすぎなかった。

次の日、少年は正午に老人と会った。彼は六頭の羊を連れていた。

「驚きました」と少年は言った。「友人が残りの羊を即座に買ってくれました。彼はいつも羊飼いになるのを夢見ていたから、これはよい前兆だと言っていました」

「いつもそうなんだよ」と老人が言った。「それは好運の原則と呼ばれているものだよ。誰でも初めてカードをする時は、ほとんど確実に勝つものだ。初心者のつきだ」

「どうしてそうなるのですか？」

「おまえの運命を実現させようという力が働くからだ。成功の美味で、おまえの食欲を刺激するのさ」

そして老人は羊を調べ始めた。彼はその中の一頭が脚をひきずっているのを見つけた。少年はそのことはたいしたことではない、その羊は群れの中で一番頭が良く、一番たくさん羊毛を生産するのだから、と説明した。

「宝物はどこにあるのですか？」と少年がたずねた。

「エジプトだ。ピラミッドの近くに」

少年は驚いた。老女が言ったことと同じだった。しかし、彼女は何も要求はしなかった。

「宝物を見つけるためには、前兆に従って行かなくてはならない。神様は誰にでも行く道を用意していて下さるものだ。神様がおまえのために残してくれた前兆を、読んでゆくだけでいいのだ」

少年が何か答える前に、一匹の蝶々《ちょうちょう》が現われて、少年と老人の間をひらひらと飛んだ。少年は、昔、彼のおじいさんが、蝶はよい前兆だと言ったことを思い出した。こおろぎも、期待を持つことも、とかげも、四つ葉のクローバーもよい前兆だった。

「その通りだよ」と老人は少年の心を読んで言った。「おまえのおじいさんが教えてくれたように、これはよい前兆だ」

老人はマントを開いた。少年は中を見てびっくりした。老人は重い金でできた、宝石がちりばめられている胸あてを着ていた。昨日、胸のあたりがキラキラと輝いていたのを少年は思い出した。

彼は本当に王様なんだ！　彼はどろぼうに会うのをさけるために、変装しているのにちがいない。

「これを持っていきなさい」と老人は胸あての中央にうめこまれていた、白い石と黒い石をさし出して言った。「これはウリムとトムミムと呼ばれるものだ。黒は『はい』を意味し、白は『いいえ』を意味する。おまえが前兆を読めなくなった時、この石が助けてくれる。いつも『はい』と『いいえ』で答えられる質問をするようにしなさい。

しかし、できれば自分で決めるように努力しなさい。宝物はピラミッドにある。そのことはおまえはもう知っていたね。わしが六頭の羊をもらうと言い張ったのは、おまえが決心するのを助けたからだ」

少年はその石を袋にしまった。これからは、彼は自分で決心をしてゆくのだ。

「これからおまえがやってゆくことは、たった一つしかない。それ以外はないということを忘れないように。そして前兆の語る言葉を忘れてはいけない。特に、運命に最後まで従うことを忘れずにな。

しかし、わしが行く前に、もう少し話をしておこう。

ある店の主人が、世界で最も賢い男から幸福の秘密を学んでくるようにと、息子を旅に出した。その若者は砂漠を四十日間歩きまわり、ついに山の頂上にある美しい城に行きついた。賢者が住んでいたのはそこだった。

しかし、この若者はすぐに賢者に会えたわけではなく、城の一番大きな部屋に入ってゆくと、そこでは、さまざまな人が忙しそうに働いているのを見た。貿易商人たちが行ったり来たりしていた。隅の方では、人々が立ち話をしていた。小さなオーケストラが、軽やかに音楽を奏でていた。テーブルには、その地方で一番おいしい食べ物を盛りつけた皿が、いっぱい並べられていた。賢者は一人ひとり、すべての人と話していたので、少年は二時間待って、やっと自分の番がきて、賢者の注意をひくことができた。

賢者は注意深く、少年がなぜ来たか説明するのを聞いていたが、今、幸福の秘密を説明する時間はないと、彼に言った。そして少年に、宮殿をあちこち見てまわり、二時間したら戻ってくるようにと言った。

『その間、君にしてもらいたいことがある』と、二滴の油が入ったティー・スプーンを少年に渡しながら、賢者は言った。『歩きまわる間、このスプーンの油をこぼさないように持っていなさい』

少年は宮殿の階段を登ったりおりたりし始めたが、いつも目はスプーンに釘《くぎ》づけだった。二時間後、彼は賢者のいる場所に戻ってきた。

『さて、わしの食堂の壁に掛けてあったペルシャ製のつづれにしきを見たかね。庭師のかしらが十年かけて作った庭園を見たかね。わしの図書館にあった美しい羊皮紙に気がついたかね？』と賢者がたずねた。

少年は当惑して、『実は何も見ませんでした』と告白した。彼のたった一つの関心事は、賢者が彼に託した油をこぼさないようにすることだった。

『では戻って、わしの世界のすばらしさを見てくるがよい。彼の家を知らずに、その人を信用してはならない』と賢者は言った。

少年はほっとして、スプーンを持って、宮殿を探索しに戻った。今度は、天井や壁にかざられたすべての芸術品を観賞した。庭園、まわりの山々、花の美しさを見て、その趣味の良さも味わった。賢者のところへ戻ると、彼は自分の見たことをくわしく話した。

『しかし、わしがおまえにあずけた油はどこにあるのかね?』と賢者が聞いた。

少年が持っていたスプーンを見ると、油はどこかへ消えてなくなっていた。

『では、たった一つだけ教えてあげよう』とその世界で一番賢い男は言った。『幸福の秘密とは、世界のすべてのすばらしさを味わい、しかもスプーンの油のことを忘れないことだよ』」

羊飼いの少年は何も言わなかった。少年は年老いた王様が語ってくれた物語がよくわかった。羊飼いは旅が好きになってもよいが、決して羊のことを忘れてはならないのだ。

老人は少年を眺め、両手を組んで、彼の頭の上で奇妙なしぐさを何回かした。それから、羊を連れて、立ち去っていった。

☆

タリファの一番高い場所に、ムーア人の作った古い要塞《ようさい》があった。その城壁のてっぺんからアフリカを見ることができた。セイラムの王様のメルキゼデックは、その日の午後、要塞の壁の上にすわり、彼の顔に吹きつける東風を感じていた。羊たちは、新しい持ち主と大きな変化に興奮して、彼のかたわらで落ちつきがなかった。彼らが欲しいのは、食べ物と水だけだった。

メルキゼデックは、小さな船が港を出て、波の上を進んでゆくのを見ていた。彼は二度と少年に会うことはないだろう。それはちょうど、自分がアブラハムの持ち物の十分の一をもらってから、彼に二度と会わなかったのと同じことだった。それが彼の仕事だった。

神は望みを持ってはならない。なぜならば、神は運命を持たないからだ。しかし、セイラムの王様は、少年にどうしても成功してほしかった。

あの少年がわしの名をすぐに忘れてしまうのは残念だ、と彼は思った。何回もくり返しておけばよかった。そうすれば、彼はわしのことを話す時、わしがメルキゼデックで、セイラムの王様だと言ってくれただろうに。

彼は天を見上げると、ちょっと恥ずかしく思った。「神よ、あなたのおっしゃるとおり、これは虚栄中の虚栄です。でも、年老いた王には、時には自慢も必要です」

☆

アフリカは何と変わったところなんだろう、と少年は思った。

彼はタンジェの狭い通りにならんだ、どれも同じように見えるバーの一つにすわっていた。何人かの男たちが大きなパイプから、タバコを次から次へとまわし飲みしていた。たった二、三時間の間に、手をつないで歩く男たちや、顔を隠した女たちや、塔のてっぺんに登ってお祈りをあげる僧侶《そうりょ》などを見た。お祈りが始まると、彼のまわりにいた人たちは、みんなひざまずいて、額を土の上につけた。

「異教徒のお祈りだ」と彼は独り言を言った。子供の頃教会で、彼はいつも、聖サンチャゴが白馬にまたがり、剣をかざしている画を見たが、そこには、彼の足元にひれふす異教徒たちが描かれていた。少年は気分が悪くなって恐ろしいほど孤独だった。異教徒たちは人相が悪かった。

その上、急いで旅行に出てきたため、一つだけ小さなことを忘れていた。ほんの簡単なことだったが、そのために、宝探しに出かけられなくなるかもしれなかった。それは、この国ではアラビア語しか話されていないということだった。

バーの主人が少年に近よってきた。少年は隣のテーブルに出されている飲み物を指さした。それは苦いお茶だった。少年はぶどう酒の方が好きだった。

しかし、今はそんなことはどうでもよかった。彼が心配しなければならないのは、宝物のことと、それをどうやって手に入れるか、ということだった。羊を売ったので、彼の袋の中には十分なお金があると知っていた。それは、お金を持ってさえいれば本当は一人ぼっちではないということだった。おそらく二、三日後には自分はピラミッドのそばにいるだろう。金の胸あてをつけていたあの老人は、六頭の羊を得るために、うそをついたりはしないだろう。

老人はしるしと前兆のことを話してくれた。少年は海峡を渡る時、前兆について考えた。そう、老人は自分が話していることを知っていたのだ。少年がアンダルシアの平原で暮していた時、彼は地面と空を見て、どちらの道を行ったらいいのかわかるようになった。ある種の鳥がいると、ヘビが近くにいるということも発見した。ある種の植物は、水がその地域にあるというしるしだった。羊がそれを教えてくれたのだった。

もし、神が羊をよく導くのなら、神は人も導くだろう、と彼は思った。すると気分が前よりも楽になった。お茶も前ほど苦くなくなった。

「あなたは誰ですか？」とスペイン語でたずねる声を少年は聞いた。

少年はほっとした。彼が前兆を考えていた時、誰かが現われたのだ。

「どうして君はスペイン語を話すの？」と少年がたずねた。そこに来たのは西洋の服装をした若い男だったが、肌の色は、彼がこの町の者であることを示していた。彼は年齢も背の高さも、少年とほとんど同じだった。

「ここではほとんどの人がスペイン語を話すよ。スペインからたった二時間のところだから」

「おかけよ。君に何かおごらせてくれ」と少年は言った。「僕のために、ぶどう酒を一ぱい注文してくれないか、このお茶は嫌いだ」

「この国にはぶどう酒はないよ」とその若者が言った。「宗教が禁じているからね」

「僕はピラミッドまで行かなくてはならないんだ」と少年は彼に言った。少年はもう少しで宝物の話を始めるところだったが、話さないことにした。もし話したら、そのアラブ人はそこに連れてゆく代金として、宝物の一部を欲しいと要求するかもしれなかった。まだ得てもいないものを提供することについて老人が話していたのを、少年は思い出した。

「もしできれば、ピラミッドのところへ連れていってほしいのだけれど。ガイドになってくれるかい？　代金を支払うよ」

「どうやって行く気なの？」と新しい友人は聞いた。

少年はバーの主人が近くに立って、二人の会話を注意して聞いているのに気がついた。少年はその男の存在が気になった。しかし、せっかくガイドを見つけたので、その機会を失いたくなかった。

「サハラ砂漠全体を横切らなくてはならないんだよ」と若者が言った。「それにはお金がかかるんだ。君が十分、お金を持っているかどうか知らないとね」

少年は変な質問だと思った。しかし、彼はあの老人を信じていた。老人は、「何かを本当に欲すれば、宇宙は常に、おまえの味方になってくれる」と言ったのだ。

少年は自分の袋からお金を取りだすと、その若者に見せた。バーの主人はすぐそばにやってきて、そのお金を見た。二人の男はアラビア語で何か言葉をかわした。するとバーの主人は怒ったようだった。

「ここを出よう」とその若者は言った。「彼はわれわれに出ていってほしがっている」

少年はほっとした。彼が立ちあがって、代金を支払おうとすると、主人は彼の胸をつかんで、彼に向かって怒った声でまくしたてた。少年は力が強かったので、反撃したいと思ったが、ここは外国だった。彼の新しい友人が、主人を横に押しのけると、少年をひっぱって外に出た。「彼は君のお金が欲しかったんだよ」と彼は言った。「タンジェはアフリカの他の場所とは違うんだ。ここは港町で、港町はどこでもどろぼうが多いんだよ」

少年は新しい友を信用した。彼は危険な状況から自分を助けてくれたのだ。少年はお金を取りだして数えた。

「僕たちは明日には、ピラミッドに着けるよ」と若者がお金を受けとりながら言った。「でも、らくだを二頭、買わなくてはならない」

二人はタンジェの狭い通りを一緒に歩いていった。いろいろな品物を売っている露店がいたるところに出ていた。しばらく歩くと、市がたっている大きな広場の中央に着いた。そこでは何千人もの人が議論したり、売ったり、買ったりしていた。短剣を売っている店の中で野菜を売っていたり、タバコの横にはカーペットが広げられたりしていた。しかし、少年は新しい友人から決して目を離さないようにした。彼が自分のお金を全部持ったままでいるのだ。少年はお金を返してくれと言おうと思ったが、それではあまり友人らしくないと判断した。自分はこの見知らぬ土地の習慣を、まだ何一つ知らないのだから。

「彼をよく見張っていることにしよう」と少年は独り言を言った。自分の方がその友達より力が強いことを知っていた。

突然、いろいろながらくたの中に、今まで見たこともないほど美しい剣を少年は見つけた。さやには銀の浮き彫り細工がしてあり、つかは黒で、いくつもの宝石がうめこまれていた。エジプトから帰ったら、その剣を買おうと、彼は心の中で自分に約束した。

「あの店の主人に、あの剣がいくらか聞いてくれないか？」と彼は友達に言った。そしてその時、剣を見ていて、ほんのちょっとの間、友達から気をそらせたことに気がついた。まるで胸が急に圧迫されたように、彼の心臓がぎゅっと縮んだ。ふり返るのがこわかった。どんなことになっているのか、知っていたからだった。彼はもうしばらく、その美しい剣を眺めてから、勇気をふりしぼってうしろをふり返った。

少年のまわりはぜんぶ市場だった。人々が往き来し、叫んだり、買物をしたりしていた。そして、見慣れぬ食べ物の香りが充満していた……しかし、新しい友人はどこにも見あたらなかった。

友達は偶然自分から離れてしまっただけだ、と少年は信じたかった。そしてその場所で友達が戻ってくるのを待つことにした。彼が待っていると、僧侶《そうりょ》が近くの塔の上に登って、お祈りを始めた。市場にいる人たちはみんなひざまずき、額を地面につけて、お祈りをした。それが終ると、まるで働きアリの集団のように、彼らは店をたたんで立ち去ってしまった。

太陽もまたさよならをし始めた。少年は、太陽が沈んでゆくようすをしばらくの間眺めていたが、やがて、その太陽は広場をとり囲んで建っている白い家々のむこう側に、隠れてしまった。その朝、太陽が昇った時のことを彼は思い出した。少年はむこう側の大陸にいて、六十頭の羊を持ち、少女と会うことを楽しみにしていた。その日の朝、少年は慣れ親しんだ平原を歩きながら、自分に起こってくることを何もかも知っていた。しかし、太陽が沈みかけている今、彼は別の国にいた。見知らぬ土地のよそ者で、その土地の言葉を話すことさえできなかった。少年はもはや、羊飼いではなかった。そして何も持っていなかった。帰って一からやりなおすお金もなかった。すべてのことは日の出から日沈までの間に起こったのだ、と少年は思った。自分がなさけなかった。そして自分の人生がそんなにも急激に、しかも劇的に変わったことをなげいていた。

少年は自分が恥ずかしくて、声をあげて泣きたかった。彼は羊たちの前では、涙をこぼしたことさえなかった。しかし、市場には誰もおらず、故郷からは遠く離れていたので、彼は涙を流して泣いた。神は不当にも、自分の夢を信じた者をこんな目にあわせたからだった。

羊を持っていた時、僕は幸せだった。そして、僕のまわりにいる人々を幸せにできた。人々は僕が行くと、僕を心から歓迎してくれた、と彼はふり返ってみた。しかし、今、僕は一人ぼっちで悲しい。一人の人間が僕を裏切ったから、僕はいじわるになり、人を信用しなくなるんだ。僕は宝物を見つけられなくなったから、宝物を見つけた人を憎むようになるだろう。そして、自分はだめな人間だという考えにとりつかれるだろう。なぜなら、僕はとるに足りない人間で世界を征服できないからだ。

彼は自分の袋を開けて、中に何が残っているのか調べてみた。たぶん、船の中で食べ残したサンドウィッチが少しあるだろう。しかし、彼の見つけたものは、重たい本と、上着と、老人がくれた二つの石だけだった。

石を見ていると、彼はなぜかわからないが、ほっとした。彼は六頭の羊と、その二つの貴石とを交換したのだった。石は金の胸あてからはずされたものだった。その石を売って、帰る切符を買うこともできた。しかし、今度はだまされないようにしようと少年は思った。そして、ポケットの中にしまおうとして、袋から石を取りだした。ここは港町だった。彼の友達が言ったたった一つの正しいことは、港町はどろぼうだらけだということだった。

今になって、バーの主人があんなに怒っていた理由がわかった。彼は少年に、あの男を信用してはいけない、と言おうとしていたのだ。「僕は他の人と同じなんだ。本当に起こっていることではなく、自分が見たいように世の中を見ていたのだ」

彼は石の上にゆっくりと指をすべらせ、温度と表面の感触を味わった。それらは彼の宝物だった。石にさわっているだけで、気分がよくなった。その石は、彼に老人のことを思い出させた。

「おまえが何か望めば、宇宙のすべてが協力して、それを実現するように助けてくれるよ」と老人は言ったのだった。

少年は老人が言ったことの真実を理解しようとした。彼は誰もいない市場にいた。一文なしの上に、夜を守ってくれる羊もいなかった。しかし、石は彼が王様に会った証拠だった。その王様は彼の過去を知っていたのだ。

「これは、ウリムとトムミムという名だ。おまえが前兆を読むのを助けてくれるよ」少年は石を袋の中に戻して、実験をしてみることにした。老人ははっきりとした質問をするようにと言った。そうするためには、少年は自分が何を欲しているか、知らなければならなかった。そこで少年は、老人の祝福が今も自分と共にあるかどうか、聞いてみることにした。

彼は石を一つ取りだした。それは黒い石で、「はい」という意味だった。

「僕は宝物を見つけますか？」と彼は聞いた。

彼は手を袋の中に突っこんだ。そして二つの石のうちの一つをさぐった。そうしているうちに、二つとも、袋の穴から押しだされて地面に落ちた。少年は袋に穴があいているのを、今まで知らなかった。ウリムとトムミムを見つけて袋の中にしまうために、彼はひざをついた。しかし、石が地面にころがっているのを見た時、もう一つの言葉が心の中に浮んだ。

「前兆に気がつくようになるのだよ。そして、それに従って行きなさい」と、年とった王様は言ったのだった。

「前兆なんだ」少年は一人でにっこりした。彼は二つの石を拾うと、それを袋の中に戻した。彼は穴をつくろおうとはしなかった――その石は落ちたければいつでも落ちることができた。彼は自分の運命から逃げないために、聞いてはいけないことがあることを学んだのだ。「自分の意志で決定すると約束したんだ」と少年は自分に言った。

しかし、石は彼に、老人は今もまだ彼と一緒にいると伝えた。そのことが、彼に自信を与えた。彼は人気のない広場をもう一度見まわした。もうさっきほど絶望してはいなかった。ここは見知らぬ場所じゃあない。新しい場所なんだ。

結局、彼がいつも望んでいたのはそれだったのだ。新しい場所を知りたいということだった。たとえピラミッドに行けなくても、彼は自分の知っているどの羊飼いよりも、すでにずっと遠くまで旅をしていた。ああ、ほんの二時間船で行っただけで、どんなにものごとが違っているかわかるのに、と少年は思った。彼のいる新しい世界は、今は単なる誰もいない市場にすぎなかったが、彼はすでに、そこが生活に満ちあふれていた時を見ていた。そして、それを決して忘れることはなかった。彼はあの剣を憶えていた。剣のことを考えると少し心が痛んだ。あんなにすばらしい剣は見たことがなかった。こうしたことをつくづく考えているうちに、彼は自分のことをどろぼうに会ったあわれな犠牲者と考えるか、宝物を探し求める冒険家と考えるか、そのどちらかを選ばなくてはならないことに気がついた。

「僕は宝物を探している冒険家なんだ」と彼は自分に言った。

☆

誰かに体をゆすられて、彼は目を覚ました。彼は市場のまん中で寝こんでしまっていた。市場の活気がまた戻ってくる時間だった。

まわりを見まわして自分の羊を探したが、彼はすぐに自分が新しい世界にいることに気がついた。悲しくなるどころか、彼は幸せだった。もう羊のために、食べ物や水を探す必要はなかった。そのかわりに、宝物を探しに行くことができた。ポケットには一文もなかったが、彼には確信があった。本を読んであこがれていた冒険家のようになると、前の晩決めたのだ。

彼はゆっくりと市場の中を歩いていった。商人たちが露店を組立てていた。少年はキャンディ売りが店を出すのを手伝ってやった。キャンディ売りは顔に笑みを浮べた。彼は幸せで、自分の人生がどんなものか知っていた。そしてその日の仕事を始めようとしていた。彼の笑顔は少年に老人のことを――彼が会ったあの日の不思議な年老いた王様のことを思い出させた。「このキャンディ売りは、将来旅に出たり、店の主人の娘と結婚するために、キャンディを作っているのではない。彼はそうしたいからやっているのだ」と少年は思った。老人と同じことを、自分ができることに、彼は気がついた――それは、ある人が、彼の運命にそっているのか、それとも遠く離れているのか、感知することだった。彼らを見るだけでわかった。とてもやさしいことなのに、今まではやったことがなかったな、と少年は思った。

店を組立て終ると、キャンディ売りは少年に、その日彼が作った最初のあめをくれた。少年は感謝してそれを食べ、歩き始めた。まだそんなに行かないうちに、店を組立てていたあいだ、キャンディ売りはアラビア語で話し、自分はスペイン語で話していたことに気がついた。

それでも二人は互いに完全に理解しあっていた。

きっと言葉によらないことばというものがあるのに違いない、と少年は思った。すでに羊とはそういう経験をしていた。そして、今、人との間にもそれが起こったのだ。

彼は新しいことをたくさん学んでいた。そのいくつかはすでに体験していたことで、本当は新しいことでも何でもなかった。ただ、今まではそれに気がついていなかっただけだった。なぜ気がつかなかったかというと、それにあまりにも慣れてしまっていたからだった。もし、僕がこのことばを、言葉を用いずに理解できるようになったら、僕は世界を理解することができるだろう、と少年は思った。

あせるのはやめて、のんびりと、タンジェの狭い通りを歩いてみることにした。そうすることによってのみ、前兆を読むことができるのだ。彼はそれには多くの忍耐が必要だということを知っていた。しかし羊飼いは、忍耐がどういうものか知っていた。この見知らぬ土地で、またしても、自分が羊から学んだ教訓を役立てていることに、少年は気がついた。

「すべては一つ」と老人は言っていた。

☆

クリスタル商人はその日、毎朝感じている同じ不安を感じながら、目を覚ました。彼は三十年間、同じ場所にいた。ほとんど人通りのない坂道のてっぺんにある店だった。今となっては、何かを変えようとしても、もう遅すぎた――彼が今まで学んだことは、クリスタルのガラス製品を売ったり買ったりすることだけだった。たくさんの人々が彼の店のことを知っている時代もあった。アラビアの商人、フランスやイギリスの地質学者、ドイツの軍人たちは、みんなお金をたくさん持っていた。その頃は、クリスタルを売るのはとてもよい商売だった。年をとったら金持ちになり、美しい女たちをそばにはべらせようと彼は思っていた。

しかし、時がたつにつれ、タンジェは変わった。近くのセウタ市がタンジェよりずっと急速に発展し、タンジェの商売はふるわなくなってしまった。近所の人たちもどこかへ移ってしまい、今では丘の上には二つか三つの小さな店が残っているだけだった。そして二つか三つの小さな店をひやかすために、わざわざ丘の上まで登ってくる人はほとんどいなかった。

しかし、クリスタルの商人にはどうしようもなかった。彼はこの三十年間を、クリスタルの品物を売買して過ごしてきた。今となっては、他のことをするには遅すぎた。

彼は午前中ずっと、店の前をたまに人が行き来するのを眺めて過ごした。彼は何年もこうしており、前を通る全部の人々の日課を熟知していた。しかし、ちょうど昼前時、一人の見知らぬ少年が、店の前で立ちどまった。彼は普通の服を着ていたが、クリスタル商人の経験豊かな目には、その少年が一文なしだということがわかった。それにもかかわらず、商人はその少年が立ち去るまでの何分か、昼めしを遅らせることにした。

☆

入口にかかっている札には、この店では、何カ国かの言葉が通じます、と書かれていた。少年は、一人の男がカウンターのうしろから現われたのに気がついた。

「もしよろしかったら、ウィンドウの中のガラスをみがかせてください」と少年が言った。

「今のようによごれていたら、誰も品物を買いませんよ」

男は返事をしないで彼を見た。

「そのかわり、何か食べるものをください」

男はなおも黙っていた。少年は、自分が決定を下さなければならなくなっているのに気がついた。少年の袋の中には彼の上着があった――まちがいなく、砂漠ではそれは必要ないだろう。上着を取りだすと、少年はそれを使ってガラスをきれいにし始めた。三十分で彼はウィンドウの中の全部のガラスをきれいにした。彼がきれいにしている間に、二人のお客が店に入ってきて、いくつかのクリスタルを買っていった。

少年はみがき終ると、何か食べ物をください、と男に言った。「外に行って、お昼を食べよう」とクリスタル商人が言った。

彼はドアに札をかけ、二人は近くの小さなカフェに行った。その店の一つしかないテーブルにすわると、クリスタル商人は声をたてて笑った。

「おまえさんはガラスをみがかなくてもよかったんだよ」と彼が言った。「コーランには、おなかのすいた人には食物を与えよと書いてあるのだ」

「それなら、なぜあなたは、私にみがかせたのですか?」と少年が聞いた。

「クリスタルがよごれていたからさ。それにおまえさんも私も、自分の心から、否定的な考えをぬぐいさる必要があったからさ」

二人が食べ終った時、商人は少年の方を向いて言った。「おまえさんに、私の店で働いてほしいのだ。今日、おまえさんが働いている間に、二人のお客が入ってきた。それは良い前兆だからね」

人は前兆の話をよくするものだな、と羊飼いの少年は思った。しかし、彼らは自分が何を言っているのか、本当は知らないのだ。それは、僕がずっと何年もの間、自分の羊に向かって、言葉のないことばで話をしていたのに、それに気がつかなかったのと同じなのだ。

「おまえは、私のために、働いてくれるかね？」と商人が聞いた。

「今日いっぱいは働けます」と少年が答えた。「今夜、夜明けまで働きます。そして、あなたの店のすべてのクリスタルをみがきます。そのかわり、明日、エジプトまで行くお金が必要なのです」

商人は笑った。「おまえさんが、一年間クリスタルをみがいたとしても……全部の商品を売りつくして、歩合をかせいだとしても、エジプトまで行く金はまだ借りなくては足りないよ。エジプトとここの間には、何千キロという砂漠があるんだから」

その瞬間、あたりがしんと静まった。まるで町全体が、寝静まったかのようだった。市場からのもの音も、商人たちが言い争う声も、塔に登ってお祈りをささげる声もしなかった。希望も、冒険も、年老いた王様も、運命も、宝物も、ピラミッドも消えてしまった。少年の魂が沈黙したために、まるで、世界中のもの音が消えてしまったかのようだった。彼はそこにすわったまま、カフェのドアのむこうを呆然《ぼうぜん》と眺めていた。死んだ方がましだと思った。すべてがその瞬間、永遠に終ってしまったかのようだった。

商人が心配そうに少年を見た。少年が、その朝見たすべての喜びは、突然に消えてしまった。

「おまえさんが国へ帰るお金を、私があげるよ」とクリスタル商人が言った。

少年は何も言わなかった。彼は立ちあがると、服をなおして、彼の袋を取りあげた。

「あなたのところで働きます」と少年は言った。

再び永い沈黙のあと、彼はつけ加えた。「羊を何頭か買うお金が必要ですから」

II

少年は、クリスタル商人のところで、すでに一ヵ月近く働いていた。しかし、その仕事は自分を幸せにしてくれる種類の仕事ではないとわかった。商人はほとんど一日中、カウンターのうしろで、品物に注意して一つも壊してはいけないと、少年にぶつぶつ言っていた。

しかし、彼はその仕事を続けた。商人は小言ばかり言う年寄りだったが、少年を正当にあつかってくれたからだった。少年は商品を売るとかなりよい歩合をもらい、すでにいくらかのお金をためることができた。その朝、彼は計算をしてみた。もし今までのような調子で、毎日働き続けたとしても、何頭かの羊が買えるようになるには、まだまる一年が必要だった。

「僕はクリスタルの陳列ケースを作りたいのです」と少年は商人に言った。「それを、外におけば、丘の下を通る人々の注意をひけると思うのです」

「今までそんなものは作ったことがないよ」と商人は言った。「そこを通る人が、陳列ケースにぶつかって、商品が壊れてしまうだろうよ」

「ええ、でも僕が羊を連れて平原を歩いていた時には、ヘビに出会うと、何頭か羊が死んだものです。それが羊飼いと羊の生活でした」

商人はクリスタルのコップを三つ欲しいという客の方に、向きなおった。彼の商売はこのところとてもよくなっていた……まるで、昔、その通りがタンジェの繁華街の一つだった頃が、戻ってきたかのようだった。

「商売が本当にうまくゆくようになった」と商人はお客が帰ってから少年に言った。「前よりずっとうまくいっているから、おまえさんも、まもなく、羊のところへ戻れるだろう。それ以上、何を望もうというのかね？」

「前兆に答えなければならないからです」少年は思わずそう言ってしまってから、自分の口にしたことを後悔した。商人は王様と会ったことがないのだ。

「それは幸運の原則と呼ばれている初心者のつきだ。人生がおまえの運命を実現させようとするのだ」と年老いた王様は言っていた。

しかし、商人は少年の言ったことを理解した。少年が店にいるということ自体が、一つの良い前兆だった。そして時の経過と共に、お金がひきだしの中に流れこんできたので、彼は少年を雇い入れたことを、少しも後悔してはいなかった。こんなに繁昌《はんじょう》するとは予想しなかった商人が高い歩合を支払ってくれたおかげで、少年は十分すぎるほどのお金を受けとっていた。商人は少年がまもなく羊飼いに戻るものと思っていた。

「おまえさんはどうして、ピラミッドに行きたかったのかね？」と、陳列ケースの件から話をそらせようとして、商人がたずねた。

「ピラミッドのことを、しょっちゅう聞いているからです」と少年は夢の話には触れずに答えた。今となっては、宝物は心の痛む思い出にすぎず、彼は宝物のことを考えないようにしていた。

「このあたりには、ピラミッドを見るために、わざわざ砂漠を越えてゆこうという人は誰もいないよ」と商人が言った。「ピラミッドなんて、ただ石を積み重ねたものだよ。おまえさんの裏庭にだって建てられるさ」

「あなたは旅をする夢を持ったことがないのですね」店に入ってきたお客に応待をするために向きを変えながら、少年は言った。

二日後、商人は陳列ケースの件で、少年に話しかけた。

「わしはな、変化というものが、あまり好きではないのだ」と彼が言った。「おまえさんもわしも、ハッサンのような金持ちの商人ではない。もし彼が仕入れに失敗しても、彼には少しもひびかない。しかし、われわれのような者がまちがいをしたら、大変だからね」

それは本当にその通りだと、少年は残念に思った。

「どうして陳列ケースを作った方がいいと思うのかね？」

「僕は早く羊たちのところへ戻りたいのです。幸運が自分の側にある時は、それを利用しなくてはいけません。そして、それが私たちを助けてくれるうちに、できるだけのことをしなくてはなりません。それを幸運の原則と呼びます。あるいは初心者のつきとも言います」

商人はしばらく沈黙した。それから言った。「マホメットはコーランを私たちに与え、われわれが一生の間に果たすべき五つの義務を言い残した。最も重要なことは、唯一の本当の神だけを信仰することだ。その他は、一日に五度お祈りすること、ラマダンに断食をすること、そして貧しい人にほどこしをすることだ」彼はそこで言葉をとめた。予言者マホメットのことを話す時、彼の眼には涙があふれた。彼は信仰の厚い男だった。そしてどんなにがまんできないことがあっても、彼は自分の人生を回教のおきてに従って生きたいと思っていた。

「第五の義務は何ですか?」と少年がたずねた。

「二日前、おまえさんは、わしが旅することを夢見たことがないと言ったね」と商人が言った。「回教徒の第五の義務は巡礼だよ。少なくとも一生に一度、聖なる都市メッカを訪れなくてはならないのだ。

メッカはピラミッドよりずっと遠いところにある。わしが若かった頃、わしの望みのすべては、お金をためて、店を始めることだった。いつか自分が金持ちになれば、メッカに行けると思っていた。わしはお金をため始めた。しかし、わしは他人に店をまかせて出かけることが、どうしてもできなかった。クリスタルはとても壊れやすいものだからだ。その間、人々はいつもわしの店の前を、メッカに向かって通り過ぎていった。ある者は金持ちの巡礼者で、召使いとらくだを連れて旅をしていた。しかし、巡礼者のほとんどは、わしよりも貧乏人だったよ。

メッカに行ってきた連中は、巡礼ができて幸せそうだった。彼らは自分の家の門のところに、巡礼に行ったしるしをつけるのだ。その中の一人で、長靴を修理して生計をたてている靴なおしは、ほとんど一年かけて砂漠を旅したが、買った皮をかついでタンジェの通りを歩くほうが、よっぽど疲れると言っていたよ」

「ではどうして今、メッカに行かないのですか?」と少年がたずねた。

「メッカのことを思うことが、わしを生きながらえさせてくれるからさ、そのおかげでわしは、まったく同じ毎日をくり返していられるのだよ。たなに並ぶもの言わぬクリスタル、そして毎日あの同じひどいカフェでの昼食と夕食。もしわしの夢が実現してしまったら、これから生きてゆく理由が、なくなってしまうのではないかとこわいんだよ。

おまえさんも羊とピラミッドのことを夢見ているね。でもおまえはわしとは違うんだ。

なぜなら、おまえさんは夢を実現しようと思っているからね。わしはただメッカのことを夢見ていたいだけなのだ。わしはな、砂漠を横切ってあの聖なる石の広場に着いて、その石にさわる前に七回もそのまわりをぐるぐるとまわるようすを、もう千回も想像したよ。わしのそばにいる人や前にいる人、その人たちと一緒に語り合い、祈るようすも想像した。でも実現したら、それが自分をがっかりさせるんじゃないかと心配なんだ。だから、わしは夢を見ている方が好きなのさ」

その日、商人は少年に陳列ケースを作ることを許した。誰もが同じ方法で夢を実現できるとは限らないのだ。

☆

さらに二カ月がたった。陳列ケースを作ったおかげで、多くの客がクリスタルの店を訪れるようになった。少年は、もうあと六カ月働いたら、スペインに帰って、六十頭の羊に加えて、もう六十頭の羊が買えるだろうと計算した。一年もたたないうちに、彼は羊を倍にして、その上、アラブ人と商売もできるようになるのだ。というのも、今はもう彼らの不思議な言葉を話せるからだった。市場でのあの朝以来、彼はウリムとトムミムを二度と使わなかった。彼にとって、エジプトは商人のメッカと同じように、ただの遠い夢にすぎなくなったからだった。とにかく少年は仕事で成功し、タリファに勝者となって帰る日のことをいつも考えていた。

「おまえは常に、自分が何を欲しているか知らなくてはならない」と年老いた王様が言っていた。少年はそれが何か知っており、今はそれに向かって働いていた。たぶん、この見知らぬ土地にたどりつき、どろぼうに会ってお金をとられ、一文のお金も使わず羊の数を二倍にすることが、彼の宝物だったのだろう。

彼は自分を誇りに思った。彼はクリスタルの商いや、言葉のないことばや……そして、前兆についてなど、とても重要なことをすでに学んでいた。ある日の午後のこと、彼は一人の男が丘の上で、「こんな坂を登って来たというのに、何か飲み物を飲むよい場所がない」と不満をもらしているのを聞いた。前兆を読むことに慣れていた少年は、商人に言った。

「丘を登って来る人にお茶を売りましょうよ」

「このあたりでは、お茶はどこにでも売っているよ」と商人が言った。

「でも、私たちはクリスタルのグラスでお茶を売るのです。みんなお茶を楽しみ、グラスを買いたくなるでしょう。美しいものは一番人の心をひきつけると聞いたことがあります」

商人は何も答えなかった。しかし、その日の午後、お祈りをあげて店を閉めてから、水ギセルを一緒に吸おうと少年を誘った。水ギセルはアラブ人が使う奇妙な形のパイプだった。

「おまえさんは、何を求めているのだね？」と年老いた商人が聞いた。

「もう、お話ししたでしょう。僕は羊を買い戻す必要があります。そうするためには、お金をかせがなければならないのです」

商人はいくつか新しい石炭を水ギセルの中にほうりこんで、キセルを深く吸いこんだ。

「わしはな、この店を三十年間やってきた。良いクリスタルと悪いクリスタルの見わけ方、そしてクリスタルに関することは全部知っている。どういう角度のものがどのように光って見えるかも知っているよ。もしクリスタルに入れてお茶を売れば、店は大きくなるだろう。そうすると、わしは自分の生活の仕方を変えなくてはならなくなる」

「でも、それは良いことではありませんか？」

「わしは、今の生活にもう慣れきっている。おまえさんがここに来る前、わしは同じ場所で時間をむだにしているのではないかと、いつも思っていた。一方わしの友達はここから移っていって、ある者は破産し、ある者は前よりずっと暮しむきがよくなった。わしは時間をむだにしたと思って、とても落ち込んだものだった。でも今は、それもそう悪いことじゃあなかったと思えるようになったのだ。今の店は、わしが欲しいと思っていたちょうどその大きさだ。わしは何も変えたくない。どうやって変化に対応したらいいかわからないからだ。わしは今のやり方に慣れているのだ」

少年は何と言ってよいかわからなかった。老人は続けた。「おまえさんはわしにとって、本当に恵みだった。今まで見えなかったものが、今はわかるようになった。恵みを無視すると、それが災いになるということだ。わしは人生にこれ以上、何も望んでいない。しかし、おまえはわしに、今まで知らなかった富と世界を見せてくれた。今、それが見えるようになり、しかも、自分の限りない可能性に気がついてしまった。そしておまえが来る前よりも、わしはだんだんと不幸になってゆくような気がする。なぜなら、自分はもっとできるとわかっているのに、わしにはそれをやる気がないからだ」

タリファであのパン屋に何も言わなくてよかったと、少年は心の中で思った。

二人はしばらくの間パイプを吸っていたが、そのうちに日が沈み始めた。彼らはアラビア語で会話していたが、少年はそうできる自分を誇りに思った。自分の羊が世界について必要なことを全部教えてくれると思っていた時があった。しかし羊たちは、アラビア語は教えてくれなかった。

たぶん世の中には、羊に教えてもらえないことも他にたくさんあるのだと、少年は老いた商人を見ながら思った。羊たちが実際にすることといったら、食べ物と水を探すことだけだ。そしておそらく、彼らが僕に教えてくれたのではなく、僕が彼らから学んでいただけなのだ。

「マクトゥーブ」と商人が最後に言った。

「それは、どういう意味ですか?」

「これがわかるためには、アラブ人に生まれなければならないよ」と彼が答えた。「しかし、おまえの国の言葉でいえば、『それは書かれている』というような意味さ」

そして、彼は水ギセルの石炭の火を消しながら、少年に、クリスタルのグラスでお茶を売る商売を始めてもいい、と言った。時には、川の流れはもうとめられないこともあるのだ。

☆

人々は丘に登り、頂上に着いた時には疲れ切っていた。しかし、彼らはそこに、さわやかなハッカ茶を売るクリスタルショップを見つけた。人々は店の中に入ってお茶を飲んだ。お茶は美しいクリスタルグラスに入れて出された。

「私の妻はこんなこと、考えたこともないよ」と一人が言って、彼はいくつかのクリスタルを買った――彼はその夜、客をそのクリスタルを使ってもてなした。すると客はそのクリスタルの美しさに感心するのだった。別の男は、お茶がクリスタルグラスに入れて出されると、香りが逃げないからよけいにおいしいと言った。また別の男は、東洋ではお茶を出すのに、クリスタルグラスを使う、それは魔法の力を持っているといわれているからだと言った。

そのニュースはすぐに広がっていった。そして非常に大勢の人たちが、新しい商売を始めた店を見るために、丘を登ってやって来た。クリスタルグラスでお茶を出す店が他にもいくつか開店したが、丘の上ではなかったので、あまりはやらなかった。

ついに商人は使用人をさらに二人、雇い入れなければならなくなった。彼はクリスタルの他に莫大《ばくだい》な量のお茶を輸入し始め、彼の店には新しいものを求める男女が、競って訪れるようになった。

そして、そのようにして、月日がたった。

☆

少年は夜明け前に目を覚ました。彼がアフリカ大陸に初めて足を踏み入れてから、十一カ月と九日がたっていた。

彼はこの日のために特別に買った、白い麻でできたアラビア服を着た。そして頭に布をまとうと、らくだの皮でできた輪をかぶってそれをとめた。彼は新しいサンダルをはいて、階段を静かにおりていった。

町はまだ寝静まっていた。彼は自分のためにサンドウィッチを用意し、クリスタルグラスから熱いお茶を飲んだ。それから、陽のさす入口のところにすわり、水ギセルを吸った。彼は何も考えずに、水ギセルを吸い、砂漠の香りを運んできた風の音を聞いていた。タバコを吸い終ると、片方のポケットに手をつっこんで、しばらくの間、そこにすわったまま、ポケットに入れたもののことを考えていた。

それはひと束のお金だった。百二十頭の羊と帰りの切符と、アフリカの物品を自国に輸入する免許を買うために、十分なお金だった。

彼は、商人が目を覚まして、店を開けるのをしんぼう強く待った。それから二人はまたお茶を飲むことにした。

「今日出発します」と少年は言った。「僕は羊を買うのに必要なお金ができました。あなたは、メッカに行くのに必要なお金がありますよね」

老人は何も言わなかった。

「僕を祝福してくれませんか?」と少年が言った。「あなたが僕を助けてくれたのです」

商人は何も言わず、お茶の用意を続けた。それから少年の方を向いた。

「わしは、おまえを誇りに思っているよ」と彼は言った。「おまえはわしのクリスタルの店に新しい気分を持ってきてくれた。しかし、おまえはわしがメッカに行かないと知っている。自分が羊を買わないと知っているようにな」

「誰がそんなことを言ったのですか？」と少年は驚いて言った。

「マクトゥーブ」と年老いた商人は言った。

そして彼は少年を祝福した。

☆

少年は自分の部屋に戻って、持ちものを荷造りした。それは三つの袋にいっぱいになった。部屋を出ようとした時、部屋のすみに、昔羊飼いだった時の袋を見つけた。それは片すみに押しこんであったので、彼は長い間、ほとんど思い出したこともなかった。誰か通りにいる人にやってしまおうと思って、その袋の中から上着を取りだした時、二つの石が床の上にころげ落ちた。ウリムとトムミムだった。

それは少年に、あの年老いた王様のことを思い出させた。そして、王様のことを考えなくなってから、どんなに長い時が過ぎてしまったかに気がついて、少年は驚いた。堂々とスペインに帰れるように、十分なお金をためることだけを考えて、彼は休む暇もなくほとんど一年間働き続けたのだった。

「夢見ることをやめてはいけないよ」と年老いた王様は言っていた。「前兆に従ってゆきなさい」

少年はウリムとトムミムを拾いあげた。するともう一度、あの年老いた王様が近くにいるような不思議なときめきを感じた。少年は一年間一生懸命に働いたのだった。そして前兆は、今こそ行く時だと告げていた。

国に帰って、元のように羊飼いに戻ろう、と少年は思った。羊たちは僕にアラビア語の話し方を教えてくれなかったけれど。

しかし、羊はもっと重要なことを彼に教えてくれた。それはこの世には、誰もが理解する一つのことばがあるということだった。少年が店でものごとをもっとよくしようと思った時、ずっと使っていたことばだった。それは熱中するということばであり、愛と目的をもってものごとを達成するということばであり、信じていることや、望んでいることを追求するということばでもあった。タンジェはもはや見知らぬ町ではなかった。この場所を征服したように、少年は世界を征服できるように感じた。

「おまえが何か欲する時、宇宙全体が協力しておまえを助けてくれるよ」と年老いた王様が言っていた。

しかし、その年老いた王様はどろぼうに出会うことも、はてしない砂漠のことも、自分の夢を知っていてもその実現を望まない人がいることも、話してはくれなかった。年老いた王様は、ピラミッドがただ石を積みあげた山で、自分の裏庭に誰にでもつくれるものだとも教えてはくれなかった。また、十分にお金ができて、前よりももっとたくさんの羊が買えるようになったら、羊を買いなさい、と言うのも王様は忘れていた。

少年はその袋を拾いあげると、他のものと一緒に別の袋につめこんだ。彼が階段をおりてゆくと、商人は外国人の夫婦の相手をしていた。他に二人の客が、クリスタルのグラスからお茶を飲みながら店の中を歩いていた。朝のこの時間にしては、いつもより混んでいた。彼が立っている場所から見ると、年老いた商人の髪の毛が、あの王様の髪の毛ととてもよく似ていることに、少年ははじめて気がついた。タンジェに着いた最初の日、食べ物も行くところもなかった時に出会ったキャンディ売りのおじさんの笑い顔を、彼は思い出した——あの笑顔も、年老いた王様の笑顔ととてもよく似ていた。

王様が以前ここにいて、自分のしるしを残していったみたいだと少年は思った。しかし、これらの人たちは一度もあの年老いた王様に会ってはいないのだ。一方では、王様は自分の運命を実現しようと努力する者を助けるために、いつも現われると言っていた。

少年はクリスタル商人にさよならを言わずに出発した。他の人々がいるところで泣きだしたくなかったからだ。この場所と自分がここで学んだすべてのことを、なつかしく思い出すことだろう。しかし、彼は今、もっと自分を信じていた。そして世界を征服することもできるような気がしていた。

「でも、僕はよく知っている野原に戻り、また羊の群れの世話をしよう」と確信を持って自分に言った。しかし、彼は自分の決心に、もはや幸せを感じなかった。彼はまる一年間、自分の夢を実現するために働いてきたが、今やその夢は一分ごとに重要さを失っていった。おそらく、それは本当の夢ではないからなのだろう。

クリスタルの商人みたいに、メッカには決して行かないで、そうしたいと一生の間、思い続けている方がいいのかもしれないと、彼は自分を納得させるために考えた。しかし、ウリムとトムミムを手にした時、年老いた王様の力と意志が彼に伝わってきた。偶然にも、——それはたぶん、前兆かもしれないと少年は思ったが——少年は最初の日に入ったバーに行きあたった。あのどろぼうはそこにはいなかった。主人は一ぱいのお茶を彼のところへ運んできた。

僕はいつでも戻って羊飼いになることができる、と少年は思った。僕は羊の世話の仕方を知っているし、それを忘れることはない。しかし、エジプトのピラミッドに行くチャンスは二度とはないだろう。あの老人は金の胸あてをしていて、自分の過去を言いあてた。彼は本当の王様で、しかも賢い王様だった。

アンダルシアの丘はここから二時間しか離れていなかった。しかし、ピラミッドと彼の間には、砂漠全体が横たわっていた。でもこの状況を別の視点から見ることもできると、少年は感じた。彼は実際、二時間だけ宝物の近くにいるのだ――その二時間が実際は一年になってしまったという事実は、問題ではなかった。

自分がなぜ羊の群れに戻りたいのか知っている、と彼は思った。僕は羊たちを理解しているからだ。彼らはもはや、やっかいものではなく、良い友人になるだろう。他方、砂漠が友人になってくれるかどうかは、僕にはわからない。宝物を探さなくてはならないのはその砂漠の中だった。たとえ、宝物は見つからなくても、僕はいつでも国に帰ることができる。僕は今、十分なお金も、そして必要な時間もある。行かない手はない。

彼は急にとても幸せを感じた。彼はいつでも戻って、羊飼いになることができた。また、いつでもクリスタルの商人になることもできた。きっと世界には他にも隠された宝物があるだろう。しかし、彼には夢があった。その上、王様と出会っていた。これは誰にでも起こることではない！

彼はバーから出てゆきながら、クリスタルの問屋の一人が、キャラバンで砂漠を越えてクリスタルを輸送していたことを思い出した。そしてウリムとトムミムを手に握りしめた。この二つの石のおかげで、彼はもう一度、自分の宝物に向かって歩み始めたのだった。「わしはいつも近くにいるよ。夢を実現しようとする者のところにな」と年老いた王様は彼に話したのだった。

問屋の倉庫に行って、ピラミッドが実際にどれほど遠いのか調べてみても、何ほどの費用もかからないではないか。

☆

そのイギリス人は、動物や汗やほこりのにおいのする建物の中のベンチにすわっていた。そこは一部は倉庫として、一部は家畜用の小屋として使われていた。彼は化学雑誌のページをめくりながら、この自分がこんな場所にたどり着くなんて、考えたこともなかったと思った。十年間も大学で勉強し、そのあげく、自分はこんな家畜用の小屋にいるのだ。

しかし、彼は前に進まなくてはならなかった。彼は前兆を信じていた。彼の人生と勉強のすべては、宇宙に一つしかない本当のことばを見つけるためだった。まず最初、彼はエスペラント語を勉強した。それから世界のいろいろな宗教を学び、今は錬金術を学んでいた。彼はエスペラント語を話すことができた。すべての主な宗教のことも理解できた。しかしまだ錬金術師《アルケミスト》にはなれなかった。重要な問題の背後にある事実を解明したものの、彼の研究はそこから先へは進めないところまで来ていた。彼は錬金術師と知り合いになろうとつとめたが、うまくゆかなかった。錬金術師は変わった連中のようだった。彼らは自分勝手で、いつも彼を助けるのをこばんだ。おそらく彼らは「大いなる作業」の秘密——賢者の石——を発見していないことを、秘密にしておかなければならないのだろう。

彼は父親が残してくれた遺産のあらかたを使ってしまったのに、まだ、「賢者の石」を発見できなかった。彼は世界中の大図書館で莫大《ばくだい》な時間を費やした。錬金術に関する最も稀少《きしよう》でかつ重要な書籍は、全部購入していた。ある本に、何年か前に有名なアラビアの錬金術師がヨーロッパを訪れたと書いてあった。彼は二百歳を越えていて、「賢者の石」と「不老不死の霊薬」を発見したと書かれていた。イギリス人はその話にとても感激した。しかし、砂漠の探検から戻ってきた考古学者の友人から、今まで見たこともないような力を持ったアラブ人の話を実際に聞くまで、そんなことは神話にすぎないと思っていた。「彼はアルファヨウムのオアシスに住んでいる」とその友人が言った。「彼は二百歳でどんな金属でも金に変えることができると人々は言っている」と聞いた時、イギリス人は興奮をおさえることができなかった。彼は他の約束を全部キャンセルし、最も重要な本だけをひとまとめにしてここに来た。そして今、このほこりっぽい、ひどいにおいのする倉庫の中にすわっているのだった。外ではサハラ砂漠を横断するための巨大なキャラバン隊が準備されつつあった。そしてキャラバンはアルファヨウムを通過する予定だった。

いまいましい錬金術師を必ず見つけるぞ、とイギリス人は思った。すると、動物のにおいは前よりも気にならなくなった。

一人の若いアラブ人が大きな手荷物を持って入ってきて、イギリス人にあいさつをした。

「どこへ行かれるのですか?」とその若いアラブ人は聞いた。

「砂漠へ行くのです」と男は答えると、すぐに本を読み続けた。彼は今は人と話したくなかった。彼がしなくてはならないことは、今まで何年にもわたって学んできたことの復習だった。錬金術師はきっと彼をテストするに違いないからだ。

その若いアラブ人は本を取りだして読み始めた。その本はスペイン語で書かれていた。

「これは好都合だ」とイギリス人は思った。彼はアラビア語よりスペイン語の方が得意だった。もしこの少年がアルファヨウムに行くのなら、ひまな時には、話しかけることができるだろう。

☆

「変だなあ」本の最初にある葬式の場面をもう一度読みながら、少年は言った。「この本をもう二年間も読もうとしているのに、この最初の二、三ページから先に行ったことがないなんて」じゃまをする王様がいないのに、彼は本に集中することができなかった。

少年はまだ自分の決心を少し疑っていた。しかし、一つだけわかったことがあった。それは、決心するということは、単に始まりにすぎないということだった。決心するということは、まるで、急流に飛び込んで、その時には夢にも思わなかった場所に連れてゆかれるようなものなのだ。

宝物を探しにゆこうと決心した時、僕はクリスタルの店で働くことになるなんて想像もしなかったもの、と彼は思った。そしてこのキャラバンに加わると決心したけれど、それがどこに行きつくのかは、僕にとってはまったくの未知なのだ。

そばでイギリス人が本を読んでいた。彼はあまりつきあいのよいタイプではなさそうで、少年が入ってきた時、イライラしているようだった。二人は友達になれたかもしれないのに、イギリス人は会話をうち切ってしまった。

少年は本を閉じた。彼は自分がイギリス人と同じような本の虫に見えるのはいやだった。

彼はウリムとトムミムをポケットから取りだして、その石で遊び始めた。

そばにいた男は「それはウリムとトムミムだ！」と叫んだ。

少年はとっさにその石をポケットにしまいこんだ。

「これは売りものではないんだ」と少年は言った。

「そんなに価値のあるものではないよ」とイギリス人が言った。「それはただの水晶でできているんだ。地球には何百万という水晶があるんだからね。しかし、わかる人には、それがウリムとトムミムだってことがわかるんだ。こんなところでその石を持った人に会うなんて、思ってもいなかったよ」

「王様からプレゼントとしてもらったんだ」と少年が言った。

見知らぬ男は何も答えなかった。そのかわり、彼は自分のポケットに手を突っこむと、二個の石を取りだした。それは少年のものと同じだった。

「王様って言った？」と彼はたずねた。

「王様が僕のような羊飼いに話しかけるなんて信じられないだろうけど」と少年は会話をうち切りたいと思って言った。

「そんなことはない。世界中が認めようとしなかった王様を最初に認めたのは、羊飼いたちだったからね。だから、王様が羊飼いに話しかけても驚かないよ」

そして彼は話し続けたが、少年が自分の言っていることをわかるだろうか、と心配していた。「それは聖書にあるんだ。同じ聖書にウリムとトムミムのことも書いてある。神様から許されている占いの方法は、この石だけなんだ。僧侶《そうりょ》は金の胸あてにこれをつけているのだ」

少年はこの倉庫にいることを急に幸せに感じた。

「これは前兆かもしれない」とイギリス人は半分独り言のように言った。

「誰が前兆のことを話したのですか？」と少年の興味はどんどんふくらんでいった。

「人生に起こるすべてが前兆なんだよ」とイギリス人は読んでいた雑誌を閉じながら言った。「誰もが理解できたのに、今はもう忘れられてしまった『宇宙のことば』があるんだ。僕はその『宇宙のことば』を探しているんだよ。僕がここにいるのはそのためだ。僕は『宇宙のことば』を知っている人を見つけなければならないんだ。錬金術師をね」

二人の会話は倉庫の親方によってさえぎられた。

「おまえさんたち二人はついているぞ」とその太ったアラブ人は言った。「キャラバンは今日、アルファヨウムに向けて出発することになった」

「でも僕はエジプトに行くんです」と少年が言った。

「アルファヨウムはエジプトにあるんだぞ」とアラブ人が言った。「おまえは本当にアラブ人かい？」

「あれは良い前兆なんだよ」と太ったアラブ人が行ってしまってからイギリス人が言った。

「幸運と偶然の一致という言葉についてだけで、大きな百科事典が書けるだろう。『宇宙のことば』はまさにこの二つの言葉で書かれているんだ」

イギリス人は少年に、自分がウリムとトムミムを持った少年に会ったのは決して偶然ではない、と言った。そして少年に、君も錬金術師を探しているのかとたずねた。

「僕は宝物を探しているのです」と少年は言った。そしてすぐに言ったことを後悔した。しかしイギリス人はそのことに特別の関心は示さなかった。

「ある意味では、僕も同じだ」と彼は言った。

「僕は錬金術師が何か知らないんです」そう少年が言った時、倉庫の親方が表に出るようにと彼らを呼んだ。

☆

「私がキャラバンのかしらだ」と黒い目のあごひげをはやした男が言った。「一緒に行く人々の生死は、私がにぎっている。砂漠は浮気な女で、時には男どもを狂わせ、かりたてるものだ」

そこには二百人近い人と四百頭の動物が集合していた。動物は、らくだや馬やらばや家きん類だった。群集の中には、女や子供もいたが、ベルトに剣をさし、肩にライフル銃をつった男たちもたくさんいた。イギリス人は、本をいっぱいつめたスーツケースを何個も持っていた。みんながやがやとやかましかったので、かしらは自分の言うことを全員に理解させるために、何回も同じことをくり返して言わなければならなかった。

「ここにはいろいろ違った人たちが集まっている。そして、みんなそれぞれ自分の神様がいる。私が仕えるのはアラーだけだ。彼の名に誓って、私はもう一度、砂漠に勝ちぬくため、できる限りのことをすると誓う。あなた方もそれぞれが信ずる神様にかけて、どんなことがあろうと私の命令に従うと、誓ってください。砂漠では、命令に従わないことは死を意味するからです」

群集の中からぶつぶつと祈る声がわき起こった。各人が自分の神様に静かに誓っていた。少年はイエス・キリストに誓った。イギリス人は何も言わなかった。人々のつぶやきは単なる誓いの言葉より、ずっと長く続いた。人々は、天に守ってくれるように祈っていた。

ラッパの長々と吹き鳴らされる合図で、みんなは馬やらくだに乗った。少年もイギリス人も、らくだを買ってあったので、それぞれ不安定ながら、らくだの背中に乗った。少年はイギリス人のらくだを気の毒に思った。彼が本のつまったスーツケースと一緒に乗ったからだ。

「偶然というものはない」とイギリス人は倉庫で中断された会話の続きを話しだした。「僕がここに来たのは、友達からあるアラブ人のことを聞いたからだ。そのアラブ人は……

……」

しかし、キャラバンが動き始めたので、イギリス人の話を聞くのは不可能だった。けれども、少年は彼が何を言おうとしていたのか知っていた。それは不思議なものごとはくさりのように一つずつつながって起こってくるということだった。同じことは少年にも起こっていた。その同じくさりが、彼を羊飼いにし、くり返し同じ夢を見させ、王様に会うためにアフリカに近い町へ連れていき、クリスタル商人に会うためにどろぼうに会わせたのだった。そして……。

自分の運命の実現に近づけば近づくほど、その運命がますます存在の真の理由になってゆく、と少年は思った。

隊商は東に向かって進んだ。午前中旅をして、太陽が一番強くなると休けいし、午後遅くなってまた動き始めた。少年はイギリス人とめったに話をしなかった。イギリス人はほとんどの時間、本を読んでいた。

少年は砂漠を進んでゆく動物や人々を、黙って観察していた。出発した日と較べると、今はすべてがまったく違っていた。出発した日は人々の叫び声や子供の泣き声、動物のいななきが、道先案内人や商人の神経質な指令などと入りまじって、混乱していた。

しかし、砂漠に出ると、絶え間なく吹いている風の音と、動物のひづめの音だけになった。案内人さえも、ほとんどしゃべらなくなった。

「私はこの砂漠を何度も越えたことがある」と一人のらくだ使いがある夜言った。「しかし、砂漠はとても大きく、地平線はとても遠いので、人は自分を小さく感じ、黙っているべきだと思うようになるんだ」

少年はこれまで砂漠に来たことはなかったが、彼の言おうとしていることが直感的にわかった。少年は海を見たり、火を見たりすると、そこに永遠の力を感じて、いつも静かになった。僕は羊たちからものごとを学び、クリスタルからも学んだ、と少年は思った。砂漠からも何かを学べるにちがいない。砂漠は年をとっていて、とても賢いように思えた。

風は決してやむことはなかった。少年はタリファの要塞《ようさい》にすわっていた時、同じ風が顔に吹きつけていたのを思い出した。風は少年に羊の毛を思い出させた。彼の羊たちは今頃、アンダルシアの平原で、食料と水を探し求めているだろう。彼らがいつもそうだったように。

「彼らはもう僕の羊じゃあないんだ」と彼は郷愁を感じずに、独り言を言った。「彼らは新しい羊飼いに慣れただろう。そして、おそらく、もう僕のことは忘れてしまっているだろう。それでいいのだ。羊のような動物は旅に慣れているから、新しいことにも慣れることを知っているのだ」

彼は商人の娘のことを思い出した。そして、きっと彼女はもう結婚しただろうと思った。おそらく、パン屋か、本が読めて彼女におもしろい話をしてくれる羊飼いとだろう——結局のところ、そういう羊飼いは自分一人しかいないわけではないのだ。しかし、少年はらくだ使いが言ったことが直感的にわかったので、うれしかった。彼もきっと、すべての人の過去と現在にかかわる「宇宙のことば」を学んでいるのかもしれなかった。彼の母親はそうしたことを「虫の知らせ」と言っていた。少年は、直感とは、魂が急に宇宙の生命の流れに侵入することだと理解し始めた。そこでは、すべての人の歴史がつながっていて、すべてのことがわかってしまう。そこにすべてが書かれているからだ。

「マクトゥーブ」と少年はクリスタルの商人のことを思い出しながら、つぶやいた。

砂漠は、ある場所はすべてが砂だったが、他の場所は岩だらけだった。キャラバンは行く手を岩山でさえぎられると、その山を迂回《うかい》して進まなければならなかった。岩ばかりの大きな地帯があると、大きなまわり道をしなければならなかった。砂が細かすぎて、動物のひづめでは歩けないと、砂がもっとしっかりしている場所を探さなくてはならなかった。動物ある場所では、湖が干あがって、地面が塩でおおわれていることもあった。そういうところでは、動物たちは立ち往生してしまい、らくだ使いはらくだからおりて、荷物をおろしてやらなければならなかった。らくだ使いたちは、その足場のしっかりしない場所では積荷を人力で運び、通り過ぎてから、再びらくだに積みなおした。もし道案内人が病気になったり、死んだりすると、らくだ使いたちはくじをひいて、新しい道案内人を決めた。

しかし、これはすべて一つの基本的な理由のためだった。何回遠まわりしても、何回方向を変えても、キャラバンはいつも決まった一定の方向に向かって進んでいった。いったん障害が克服されると、それは再び元のコースに戻った。オアシスのありかを示している星をめざして進むのだった。人々は明け方の空にその星が輝いているのを見ると、自分たちが、水とやしの木と避難場所と人々のいる場所に向かって、正しいコースを進んでいるのを知るのだった。そうしたことに何も気がつかないでいるのは、イギリス人だけだった。彼はほとんどの時間、自分の持ってきた本を読みふけっていた。

少年も本を持っていた。そして旅の最初の二、三日間はそれを読もうとした。しかし、キャラバンを観察したり、風の音を聞いているほうが、もっとずっとおもしろいとわかった。自分のらくだをもっとよく知るためにはどうすればいいか学び、らくだとの友情をきずくやいなや、彼は本を投げすててしまった。少年はそれまで、本を開けるたびに何か大切なことを学べるという迷信を持っていたが、ここでは本は不必要な荷物だと決めたのだった。

彼は自分のらくだについているらくだ使いと親しくなった。夜、一緒に火のまわりにすわっている時、少年は自分が羊飼いだった時の冒険について、らくだ使いに話した。

ある時、こうした会話の中で、らくだ使いは少年に自分の人生の物語を語った。

「私はエルカイルムの近くにずっと住んでいました」と彼は言った。「私には果樹園と子供があり、死ぬ時まで変わらないような毎日の生活がありました。ある年のこと、作物がいつもよりできがよく、私たちはみんなでメッカに行きました。私は人生でまだ果たしていなかった義務を、やりとげたのです。私は幸せに死ぬことができると思うと、とてもうれしかったものです。

ある日のこと、大地がゆれ始めました。そしてナイル川が堤防をこえてあふれ出しました。そんなことは他人には起こっても、自分には絶対に起こらないことだと思っていました。私の隣人は、その洪水でオリーブの木を全部失ってしまうのを恐れました。私の妻は子供を失うのを恐れました。私は自分が持っているもののすべてがだめになるだろうと思いました。

結局、土地は荒廃し、私は他に生きてゆく方法を見つけなければなりませんでした。だから今、こうして、らくだ使いをやっているのです。しかし、その災害は私にアラーの言葉を理解させてくれました。人は、自分の必要と希望を満たす能力さえあれば、未知を恐れることはない、ということです。

私たちは持っているもの、それが命であれ、所有物であれ、土地であれ、それを失うことを恐れています。しかし、自分の人生の物語と世界の歴史が、同じ者の手によって書かれていると知った時、そんな恐れは消えてしまうのです」

時々、彼らのキャラバンは別のキャラバンと出会った。一方は他方が必要とする何かを常に持っていた――それは、すべてが一つの手で書かれていることを、まさに示しているかのようだった。彼らは火を囲んですわり、らくだ使いは嵐《あらし》の情報を交換し、砂漠の物語を語った。

また別の時には、顔をかくした不思議な男たちが現われた。彼らはヴェドウィン族で、キャラバンの航路を監視していた。彼らは盗賊や野蛮な部族に関して警告してくれた。そして黙って現われ、黙って立ち去っていった。彼らは黒い衣服を着て、目元だけしか見えなかった。ある夜、一人のらくだ使いが、イギリス人と少年がすわっている火のところへ来た。「部族間の戦争が始まったといううわさがあります」と彼は二人に話した。

三人はおし黙った。誰も何も言わなかったが、少年は空気中に恐怖感がただよっているのに気がついた。もう一度、少年は言葉のないことば――宇宙のことば――を体験していたのだった。

イギリス人が、自分たちは危険にさらされているのか、と聞いた。「砂漠へ出てしまってからは、あと戻りはできません」とらくだ使いは言った。「あと戻りができなければ、前に進むことだけを心配すればいいのです。危険も含めて、すべてはアラーの神しだいです」

そして彼は不思議な言葉「マクトゥーブ」で話をしめくくった。

「キャラバンにもっと注意していた方がいいと思いますよ」らくだ使いが行ってしまうと、少年はイギリス人に言った。「私たちはいくつもまわり道をしていますが、いつも同じ目的地に向かって進んでいるのです」

「君こそ、もっと世界について書かれた本を読むべきだよ」とイギリス人が答えた。「本はその点、キャラバンのようなものだから」

人と動物の大きな集団は、前より速く進み始めた。それまでも、昼間はいつも沈黙を守っていたが——夜になると旅行者は火を囲んでよく話した——今は、夜になっても静かになった。そしてある日、キャラバンのリーダーたちは、夜、火をもやしてはならないという決定を下した。キャラバンに注意をひかないためだった。旅人たちは夜になると、夜間の寒さから身を守るために動物を円形に並べ、その円の中にかたまって寝るようにした。そしてリーダーたちは武装した見張りをグループのまわりに配置した。

イギリス人はある夜、眠ることができなかった。彼は少年を起こして、野営地のまわりの砂丘へ散歩に出かけた。満月の夜だった。少年はイギリス人に自分の人生の物語を話した。

イギリス人は、少年がクリスタルの店で働き始めてから起こったことに、とても興味をひかれた。

「それはすべてのことにあてはまる原則だ」と彼は言った。「錬金術では、それは『大いなる魂』と呼ばれているんだ。君が何かを全身全霊で欲した時、君はその『大いなる魂』と最も近い場所にいる。それはいつも、前向きな力として働くのだ」

これは人間だけに与えられた贈り物ではない、それが鉱物であろうと、植物であろうと、動物であろうと、単なる思いであろうと、地上にあるすべてのものは魂を持っていると彼は続けた。

「地球上にあるすべてのものは常に形を変えている。なぜなら地球は生きているからだ……そして地球には魂があるからだ。私たちはその魂の一部なので、地球の魂が私たちのために働いていることを、ほとんど認識していない。しかし、クリスタルの店にいた時、グラスでさえ、君が成功するように協力してくれたことに、君はきっと気がついたことだろう」

少年は月と白く光る砂を見ながら、しばらくの間、そのことを考えてみた。「僕はキャラバンが砂漠を渡ってゆくのをよく観察していたんです」と彼が言った。「キャラバンと砂漠は同じことばを話していました。だからこそ、砂漠はキャラバンが横切ってゆくのを許してくれるのです。それはキャラバンの一歩一歩をテストして、時間どおりにいっているか見ています。そしてもし時間通りならば、僕たちはオアシスに行けるはずです」

「もし、われわれのどちらかが、そのことばを理解せずに、個人的な勇気だけでキャラバンに加わっていたら、この旅はもっと困難なものになっていただろう」

二人はそこに立って月を見ていた。

「あれは前兆の魔法だ」と少年が言った。「案内人がどうやって砂漠のサインを読むのか見ていました。そして、どうやってキャラバンの魂が砂漠の魂に語りかけているのかも、観察したのです」

イギリス人が言った。「僕ももっとキャラバンを注意して見た方がいいのかもしれない」

「そして僕も、あなたの本をもっと読んだ方がいいのかも」と少年が言った。

☆

それはとても奇妙な本ばかりだった。水銀や塩や龍《りゅう》や王様のことが書いてあって、少年には少しも理解できなかった。しかし、すべての本を通してくり返されている一つの考えがあった。それは、すべてのものはただ一つのものがさまざまに現われたものにすぎないということだった。

ある本の中で少年は、錬金術の最も重要な文献はほんの数行から成るもので、それはエメラルドの表面に書かれているということを知った。

「それはエメラルド・タブレットのことだよ」とイギリス人は言った。少年に何かを教えることができて、彼は得意だった。

「ではなぜ、こんなにたくさんの本が必要なのですか？」と少年がたずねた。

「その二、三行を理解するためだよ」とイギリス人が言ったが、彼は自分の言っていることを本当には信じていないように見えた。

少年にとって最も興味深い本は、有名な錬金術師たちの物語だった。彼らは実験室の中で金属を純化することに一生を捧げていた。彼らは、もし金属を何年も何年も熱すれば、それぞれ固有の性質が蒸発してしまい、残るものは「大いなる魂」だと信じていた。この「大いなる魂」は彼らに、地球上にあるすべてのものを理解させてくれるはずだった。なぜなら、それはすべてのものが意思を通じ合うためのことばだからだ。彼らはそれを発見することを「大いなる作業」――それは液体と固体からなっていた――と呼んだ。

「そのことばを理解するには、ただ人や前兆を観察するだけではだめなのですか？」と少年がたずねた。

「君は何もかも、すぐに単純にしてしまうくせがあるね」とイギリス人はいらいらして言った。「錬金術はもっと真面目なものだよ。すべての段階はマスターがやったのと、まったく同じように正確にやらなくてはならないんだ」

「大いなる作業」の液体の部分は、「不老不死の霊薬」と呼ばれ、それはすべての病気をいやし、錬金術師に年をとらせないということを、少年は学んだ。そして固体の部分は「賢者の石」と呼ばれていた。

「『賢者の石』を見つけるのは、簡単なことではない」とイギリス人が言った。「錬金術師は何年もずっと、実験室で金属を純化する火を見て暮したのだ。彼らはあまり長い時間、火のそばで過ごしたので、次第次第に世の中の虚飾を捨て去ってしまった。彼らは、金属を純化することは自分自身を純化することだと発見したのだよ」

少年はクリスタル商人のことを思った。彼は、「おまえにとって、クリスタルをみがくことは、否定的な考えから自分を自由にすることなのだよ」と言った。少年はますます、錬金術は日常の生活の中で学ぶことができると確信した。

「また」とイギリス人は言った。「『賢者の石』はとても魅力的な財産なんだよ。その石のほんのひとかけらで、大量の金属を金に変えることができるのだ」

それを聞いて、少年はますます錬金術に興味をもった。そして、忍耐強くやれば、自分もすべてを金に変えることができるようになるだろうと思った。彼は、それに成功したいろいろな人の伝記を読んだ。ヘルベティウス、エリアス、フルカネリス、ゲルベルなどだった。どれもとても魅力的な物語だった。その誰もが自分の運命を最後まで追求していた。彼らは旅行し、賢人と会い、疑い深い人たちに奇蹟《きせき》を起こしてみせ、「賢者の石」と「不老不死の霊薬」を持っていた。

しかし、「大いなる作業」を達成する方法を学びたいと思ったとたん、彼はどうしてよいかまったくわからなくなってしまった。ただ、さし絵と暗号で示された指示と、あいまいもことした教科書があるだけだった。

☆

「彼らはなぜものごとをそんなに複雑にしてしまうのですか？」ある夜、少年はイギリス人にたずねた。少年はイギリス人が、本が手元になくてさびしくて、いらいらしているのに気がついた。

「知る責任のある人たちが理解できるようにさ」と彼は言った。「もし、誰もが鉛を金に変えるようになったと想像してみたまえ。金は価値を失ってしまうよ。

がまん強く、ものごとを深く研究する人だけが『大いなる作業』を達成できるんだ。だから僕は砂漠のまん中まで来たんだよ。僕は、暗号の解読の仕方を教えてくれる本当の錬金術師を、探しているのさ」

「これらの本はいつ書かれたのですか？」と少年が聞いた。

「何世紀も前さ」

「でも、その頃は印刷機がなかったのでしょう」と少年は言った。「普通の人には、錬金術を学ぶ方法がありませんよ。どうしてそんな変な言葉を使って、さし絵がいっぱい書いてあるのですか？」

イギリス人は少年の質問に直接は答えなかった。そして、ここ二、三日間、キャラバンがどのように機能しているか注意してみたが、何も新しいことは学べなかったと言った。彼が気がついたことは、戦争の話がますますひんぱんに交わされるようになっているということだけだった。

☆

ある日、少年は借りている本をイギリス人に返した。「何か学んだかい？」とイギリス人はどんな答えが返ってくるか知りたくて聞いた。彼は戦争の可能性について考えずにすむように、誰か話す相手を必要としていた。

「僕が学んだことは、世界には魂があるということ、そして、その魂を理解する人は、ものごとのことばを理解できるということです。たくさんの錬金術師が自分の運命を実現し、『大いなる魂』と『賢者の石』と『不老不死の霊薬』を発見したということもわかりました。

しかし、それにもまして、ものごとというものは、すべて、とても単純なので、エメラルドの表面に書くことができるということを学びました」

イギリス人は失望した。何年にもわたる研究、魔法のシンボル、奇妙な言葉や実験道具……こうしたものは少年には少しも印象的でなかったようだった。彼の魂はあまりに初歩的で、こうしたことが理解できないに違いない、と彼は思った。

彼は本を受けとると、それを再びかばんの中につめこんだ。

「元のようにキャラバンを観察していたらいいよ」と彼は言った。「僕には何も教えてくれなかったけれどね」

少年はまた元のように、砂漠の静寂と動物たちのあげるほこりをじっと見つめ始めた。

「人は誰でも、その人その人の学び方がある」と少年は独り言を言った。「彼のやり方は僕とは同じではなく、僕のやり方は、彼のやり方と同じではない。でも僕たちは二人とも、自分の運命を探究しているのだ。だからそのことで僕は彼を尊敬している」

☆

キャラバンは昼も夜も旅をし続け始めた。顔をかくしたヴェドウィンたちが、前よりいっそうひんぱんに現われるようになった。少年と仲よくなったらくだ使いは、部族間の戦争はもう始まったと説明してくれた。もしキャラバンがオアシスに到着できれば、それはとても運がいいことだと言った。

動物たちは疲れきっていた。そして人々はお互いに、ますます話をしなくなった。沈黙は夜の最も恐ろしいところだった。らくだのうなり声は、以前はただのうなり声にすぎなかったが、今ではみんなをふるえあがらせた。それは襲撃を受ける前ぶれかもしれないからだ。

しかし、そのらくだ使いはあまり戦争を心配していないようだった。

「私は生きています」と彼はある夜、ひとふさのなつめやしを食べながら少年に言った。その夜は火もなければ、月の明かりもなかった。「私は食べている時は、食べることしか考えません。もし私が行進していたら、行進することだけに集中します。もし私が戦わなければならなかったら、その日に死んでもそれはかまいません。

なぜなら、私は過去にも未来にも生きていないからです。私は今だけにしか興味を持っていません。もし常に今に心を集中していれば、幸せになれます。砂漠には人生があり、空には星があり、部族の男たちは人間だから戦う、ということがわかるでしょう。人生は私たちにとってパーティであり、お祭りでもあります。なぜなら、人生は、今私たちが生きているこの瞬間だからです」

二晩後、少年はベッドに入る前に、毎日従ってきた星を探した。彼は地平線が今までより少し低くなったように思った。星が地平線の下の砂漠の中にあるように見えたからだった。

「オアシスだ」とらくだ使いが言った。

「では、なぜ今すぐ行かないのかな？」と少年が聞いた。

「寝なくてはならないからね」

☆

日の出と共に少年は目を覚ました。彼の目の前、昨夜小さな星が見えたところに、なつめやしの木が砂漠の地平線に果てしなく広がっていた。

「やったぞ！」とイギリス人が言った。彼もまた朝早く目覚めたのだった。

しかし少年は黙っていた。彼は砂漠の静寂をよく知っていた。そして木を見ているだけで満足していた。少年はその先、ピラミッドに着くまでまだ長い道のりを行かねばならなかった。そしていつか今朝のこともただの思い出となるだろう。しかし、大切なのは今という時間だった——らくだ使いが言ったように人生はパーティだった——彼は過去の教訓と未来の夢と共に今に生きたいと思った。なつめやしの風景はいつかは単に思い出になってしまうけれど、今はそれは日陰であり、水であり、戦争からの避難場所を意味していた。きのうの夜は、らくだの鳴き声は危険の合図だった。そして今、なつめやしの林は奇蹟《きせき》を告げるものだった。

世界は多くのことばを話すものだ、と少年は思った。

☆

時代はどんどん過ぎ去ってゆく。キャラバンもそうだ、と錬金術師は、何百人もの人々と動物がオアシスに到着するのを眺めながら思った。人々は到着したばかりの人々に向かって叫んでいた。ほこりが砂漠の太陽をくもらせていた。オアシスの子供たちは、見知らぬ人々の到着に興奮して大騒ぎだった。錬金術師は、部族の長がキャラバンのかしらにあいさつし、彼と長々と話しこんでいるようすを見ていた。

しかし、そんなことは錬金術師にとってはどうでもよいことだった。彼はもうすでに、何回も人々が来ては去ってゆくのを見ていた。そして砂漠は、相変わらずそこに存在していた。彼は王様やこじきが砂漠の砂の上を歩くのを見た。砂丘はいつも風によって形を変えていた。けれども砂は、彼が子供の時に知っていたものと同じだった。彼は、旅人たちが何週間も黄色い砂と青い空だけの世界で過ごしたあと、なつめやしの木を最初に見た時に体験する幸せを見るのが楽しかった。きっと神は、人間がなつめやしの木をありがたく思うために、砂漠を作ったのだろう、と彼は思った。

彼はもっと実際的な問題に心を集中することにした。彼はこのキャラバンの中に、自分の弟子となる男がいることを知っていた。前兆が彼にそう教えたのだった。彼はまだその男を知らなかった。しかし、彼の鍛錬をつんだ眼は、その男が現われればそれとわかるだろう。彼はその男が、彼の前の弟子と同じくらい有能であるように願った。

どうしてこういうことが口頭で伝えられなくてはならないのかわからない、と彼は思った。それが秘密だからというわけではなかった。神はすべての生きものに対して、神秘をいとも簡単に、明らかにしているのだ。

彼はこの事実について一つだけ説明することができた。ものごとが口づてで伝えられなくてはならないのは、それらが純粋な人生から成り立っており、こうした人生は絵や言葉ではとらえることができないからなのだ。

人々は絵や言葉に気をとられて、「大いなることば」のことを忘れてしまうのがおちだった。

☆

少年は自分が見ているものを信じられなかった。そのオアシスは、彼が昔、地理の本で見た、ほんの数本のやしの木で囲まれた泉のように小さなものではなく、スペインの多くの町よりもずっと大きかった。三百の井戸と五万本のなつめやしの木と、数えきれないほど色とりどりのテントが広がっていた。

「まるで千夜一夜物語のようだ」とイギリス人が言った。彼は一刻も早く錬金術師に会いたくてたまらなかった。

彼らは、着いたばかりの動物や人々に興味しんしんの子供たちに、ぐるりととり囲まれた。オアシスの男たちは、彼らが戦闘を見たかどうか知りたがった。そして女たちは、商人が持ってきた布や宝石を求めて、互いに先を争っていた。砂漠の静寂は遠い夢となった。キャラバンの旅人たちは絶え間なくしゃべり、笑い、叫んでいた。まるであの世から、もう一度人間の世界に戻ってきたかのようだった。みんなはほっとして幸せだった。

彼らは砂漠ではずっと、細心の注意をはらってきた。しかし、オアシスは住人のほとんどが女と子供だけなので、常に中立地帯とされている、とらくだ使いは少年に説明した。砂漠にはあちこちにオアシスがあったが、部族たちは砂漠で戦い、オアシスは避難場所として残しておくのだ。

キャラバンのかしらは、苦労のすえ全員を呼び集めると、指示を与えた。彼のグループは部族間の戦争が終るまで、オアシスにとどまることになった。彼らは訪問者であるから、オアシスの住民と住む場所を共用しなければならなかったが、最良の宿舎を提供されるはずだった。それがもてなしのしきたりだった。それから彼は見張り人も含めた全員に、すべての武器を族長によって任命された人たちに渡すように言った。

「それが戦争のおきてなのだ」とかしらは説明した。「オアシスには軍隊は駐とんさせない」

少年が驚いたことには、イギリス人はクロームメッキのピストルをかばんから取りだし、武器を集めている男に渡した。

「どうしてピストルなんかを持っているの？」と彼は聞いた。

「人を信頼するのに役に立つのさ」とイギリス人は答えた。

一方、少年は宝物のことを考えていた。彼が夢の実現に向けて近づけば近づくほど、ものごとがよけいに困難になってきていた。年老いた王様が「初心者の幸運」と呼んでいたものは、もはや働かなくなっているようだった。夢の追求の過程で、彼はやる気と勇気を常にテストされていた。あせってもいけないし、いらいらしてもいけなかった。もし、衝動にかられて先を急ぐと、神様が道すじに置いてくれたサインや前兆を見落してしまうだろう。

神様はサインや前兆を僕の進む道に用意していてくださるのだ。少年はそう考えてから、自分の考え方にびっくりした。今まで彼は前兆を現世的なものと考えていた。それは食べたり、寝たり、愛を求めたり、仕事を探したりするレベルと同じだと思っていたのだ。彼は今まで、それを、自分が何をすべきか示してくれる神様の言葉という意味では、考えたことがなかった。

「そんなにあせることはないよ」と彼は自分にくり返して言った。「らくだ使いのおじさんが言っていた通りだ。『食べる時には食べる。そして動く時が来たら動くのだ』」

最初の日、イギリス人も含めて、みんなは疲れはてて寝てしまった。少年は彼の友人から ずっと離れた場所を割りあてられた。そのテントには彼と同じ年頃の五人の若者がいた。彼らは砂漠の若者たちで、少年から大都会の話を聞きたがった。

少年は羊飼いだった時の話をした。そしてクリスタルの店で働いた時のことを話し始めた。その時、イギリス人がそのテントにやってきた。

「午前中、ずっと君のことを探していたんだ」と彼は少年を外に連れだして言った。「君に錬金術師がいる場所を見つけるのを、手伝ってもらいたいのだ」

最初、二人は自分たちだけで、錬金術師を探しだそうとした。おそらく錬金術師は、オアシスの他の人たちとは違ったように生活しているだろう。彼のテントの中では、いつも炉に火がたかれているに違いない。二人はそこら中を探した。しかし、オアシスは想像していた以上に大きかった。何百というテントがあった。

「ほとんどまる一日をむだにしてしまった」とイギリス人は、井戸の近くに少年と一緒に腰をおろしながら言った。

「誰かに聞いた方がいいかもしれない」と少年が提案した。

イギリス人は、他の人に自分がなぜオアシスに来たのか言いたくなかったので、決心がつかなかった。しかし結局は、自分よりアラビア語ができる少年が、他の人にたずねることで同意した。井戸に羊の皮袋に水をつめに来た女性に、少年は近づいた。

「奥さん、こんにちは。僕はこのオアシスに住む錬金術師を探しているのですが」

その女性は、そんな人のことは聞いたことがないと言って足早に立ち去った。しかし、逃げだす前に、黒い服を着た人に話しかけない方がいいと忠告した。そういう女性は結婚しているからというのだ。彼は伝統を尊重することにした。

イギリス人は失望した。こんなにも遠く長い旅がむだだったように思えた。少年もまた悲しくなった。彼の友人も自分の運命を追求していると知っていたからだ。もし運命を追求していれば、全宇宙が成功を助けてくれるはずだった。――そう年老いた王様は言った。王様がまちがったことを言うはずがなかった。

「僕は錬金術師という言葉など聞いたこともない」と少年は言った。「おそらく、ここにいる人も誰も聞いたことがないのだろう」

イギリス人の眼が輝いた。「そうだ！　誰も錬金術師がどういうものなのか知らないのだ。人々の病気をなおす人を探してみることにしよう！」

黒い服を着た何人かの女性が、水をくみに井戸にやってきた。イギリス人が頼んでも、少年は誰にも話しかけなかった。するとこんどは一人の男が近づいてきた。

「人々の病気をなおす人を知りませんか？」と少年がたずねた。

「アラーの神が病気をなおしてくれるよ」とその男は言った。男は見知らぬ人を明らかに恐れていた。「あんた方は魔法使いの医者を探しているんだな」彼はコーランの言葉を何かつぶやくとむこうへ行ってしまった。

もう一人の男が現われた。彼はもっと年をとっていた。手に小さな手おけを持っていた。

少年は同じ質問をくり返した。

「どうしてそのような人を見つけたいのかね？」とそのアラブ人は聞いた。

「ここにいる私の友人はその人に会うために何カ月も旅行をしてきたのです」と少年は言った。

「もし、このオアシスにそんな人がいれば、彼はすごく有力な人にちがいない」とその年とった男はしばらく考えてから言った。「族長だって、会いたいと思っても会えないほどだろう。もちろん本人が同意した場合は別だろうが。

戦争が終るのを待ちなさい。そしてキャラバンと一緒にここを出たらよい。オアシスの生活にあまり首をつっこまない方がいいよ」そう言うと、その男はむこうへ行ってしまった。

しかし、イギリス人は大いに喜んだ。自分たちは正しい道すじに乗っているのだ。

最後に、黒い服ではない若い女性が近づいてきた。彼女は肩に水がめを乗せ、頭にベールをかぶっていたが顔は隠していなかった。少年は錬金術師のことをたずねようとして、彼女の方へ近づいていった。

その瞬間、少年は時間が止まったように感じた。「大いなる魂」が彼の中から突きあげてきた。彼女の黒い瞳《ひとみ》を見つめ、彼女のくちびるが笑おうか、黙っていようか迷っているのを見た時、彼は世界中で話されていることばの最も重要な部分——地球上のすべての人が心で理解できることば——を学んだのだった。それは愛だった。それは人類よりももっと古く、砂漠よりももっと昔からあるものだった。それは二人の人間の目が合った時にいつでも流れる力であり、この井戸のそばの二人の間に流れた力だった。彼女はにっこりほほ笑んだ。そして、それは確実に前兆だった——彼が自分では気がつかずに、一生の間待ちこがれていた前兆だった。それは、羊や本やクリスタルや砂漠の静寂の中に、彼が探し求めていたものだった。

それは純粋な「大いなることば」だった。それは宇宙が無限の時の中を旅する理由を説明する必要がないのと同じように、説明を要しないものであった。少年がその瞬間、感じたことは、自分が、一生のうちにただ一人だけ見つける女性の前にいるということだった。そして、ひと言も交わさなくても、彼女も同じことを認めたのだった。世界の何よりもそれは確かだった。彼は両親や祖父母から、結婚相手を決める前には、相手と恋におち、相手を本当によく知る必要があると言われていた。しかし、おそらく、そのように言う人たちは、宇宙のことばを一度も学んだことがないのだろう。なぜなら、そのことばを知っていれば、砂漠のまん中であろうと、大都会の中であろうと、この世界には、誰か自分を待っていてくれる人が必ずいると理解するのは簡単だからだ。そして、そのような二人が互いに出逢《であ》い、目と目を合わせた時、過去も未来も、もはや重要ではなくなる。その瞬間しかないのだ。そして、太陽の下にあるものすべては、ただ一つの手によって書かれているのだということを、驚くほどはっきりと確信するのだ。これこそ、愛を呼びさまし、この世のすべての人のために、双子霊を造った手だった。このような愛がなかったならば、人の夢は何の意味もないだろう。

「マクトゥーブ」と少年は思った。

イギリス人が少年をゆすった。「さあ、彼女に聞いてみろよ!」

少年は少女に近づいた。彼女はにっこりと笑顔を見せ、少年もほほ笑んだ。

「あなたの名前は?」と少年がたずねた。

「ファティマです」と少女は目をふせて答えた。

「僕の国にも同じ名前があるよ」

「予言者の娘さんの名前よ」とファティマが言った。「征服者は、その名前をあらゆる場所へ運んだんだわ」その美しい少女は征服者と言う時、誇りを持って言った。

イギリス人が少年を突ついたので、少年は彼女に、人々の病気をなおす人を知りませんかとたずねた。

「その人なら、世界の秘密をみんな知っている方だわ」と彼女は言った。「彼は砂漠の妖《よう》精《せい》と話をするのよ」

妖精とは、良い霊や悪い霊のことだった。少女は南の方を指さして、その不思議な人が住んでいるのは、あちらの方だと教えた。それから彼女は水がめに水をくむと立ち去った。

イギリス人も錬金術師を探しにどこかへ行ってしまった。少年は井戸のそばに長い間すわっていた。タリファにいた時、東風があの少女の香水の香りを運んできたのを思い出した。彼女の存在を知る前から、自分が彼女を愛していたことに彼は気がついた。そして自分の彼女に対する愛が、世界中のすべての宝物を発見させてくれるということを知っていた。

次の日、少年は少女に会いたくて、井戸のところへ戻った。驚いたことに、イギリス人もそこに来ていて、砂漠の方を眺めていた。

「僕は午後から夜中までずっと待っていたんだ」と彼が言った。「彼は宵の一番星と共に現われた。僕は彼に、自分が何を探しているのか説明した。すると彼は、今までに鉛を金に変えたことがあるかどうか聞いたんだ。僕はそれを学ぶために、ここまで来たのです、と言ったんだよ。

彼は、ではやってみるがよい、と言ったんだ。彼は、『さあ行って、やってごらん』と言っただけだった」

　少年は何も言わなかった。このかわいそうなイギリス人は、ずっと旅をしてきたのに、彼が今までに何回もやってきたことをもう一度やれと、言われただけなのだ。

「それなら、やってみるんだね」と少年はイギリス人に言った。

「僕はやるつもりだ。今から始めようと思う」

　イギリス人が行ってしまうと、ファティマが来て、水さしを水で満たした。

「君に一つだけ言いに来ました」と少年は言った。「僕の妻になってほしいのです。あなたを愛しています」

　少女は水さしを落とし、水がこぼれた。

「ここで毎日、君を待っているよ。僕はピラミッドの近くにある宝物を探しに砂漠を越えてきました。自分にとって戦争はのろいだと思っていた。しかし今、それが神の恵みだとわかったんだ。なぜなら、戦争のおかげで君に会えたのだから」

「戦争はいつかは終るわ」と少女が言った。

　少年は、まわりのなつめやしの木を見まわした。彼は自分が羊飼いであったことを思い出した。自分はもう一度、羊飼いになることができる。ファティマの方が宝物よりもっと大切だった。

「部族の男たちはいつも宝物を探しています」まるで少年が考えていることを推しはかったように少女が言った。「そして、砂漠の女たちは、部族の男をとても誇りに思っています」

彼女はもう一度水さしに水をくむと、そこを立ち去った。

少年は毎日井戸のところへ、ファティマに会いに行った。彼は彼女に、羊飼いだった頃のこと、王様のこと、そしてクリスタルの店のことについて話した。二人は友達になった。彼女と過ごす十五分間以外は、毎日がとても長く感じられた。少年がオアシスに来て、一カ月が過ぎた時、キャラバンのかしらは、一緒に旅をしている者全員をよび集めた。

「いつ戦争が終るかわからない。従って、われわれは旅を続けることはできない」と彼は言った。「戦闘は長期間にわたるかもしれない。おそらく何年も続くだろう。双方ともに強力な軍隊を持っている。双方の軍にとって戦争が重要なのだ。これは善玉と悪玉が戦っているわけではない。力のバランスのために両者が戦っているのだ。そして、この種の戦闘が起こると、通常よりずっと長く続く――それはアラーの神が両方についているからだ」

人々はまた生活の場に戻った。少年はその日の午後、ファティマに会いに行った。彼は彼女に、その日の朝の集会のことを話した。「私たちが会った次の日」とファティマが言った。「あなたは私を愛していると言ったわ。それからあなたは宇宙のことばと大いなる魂について教えてくれました。そのために、私はあなたの一部になったのよ」

少年は彼女の声のひびきを聞いていた。そして、なつめやしの間を吹いてくる風の音よりももっと美しいと思った。

「私はこのオアシスで永い間、あなたを待っていました。私は自分の過去も、伝統も、砂漠の男性が女性に期待する振舞いのことも忘れました。私は子供の頃からずっと、砂漠が私に、すばらしい贈り物を持ってきてくれると夢見ていたわ。今、その贈り物がとどいたのです。それがあなたなのよ」

少年は彼女の手をとろうとした。しかしファティマの手は水さしのとっ手をにぎっていた。

「あなたは私にあなたの夢を話してくれました。年とった王様のことや、あなたの宝物のことも話してくれました。そして前兆のことも話してくれました。だから今、私は何も恐れません。なぜなら、その前兆が、あなたを私のところへ連れてきてくれたのですもの。私はあなたの夢の一部よ。そしてあなたのいう運命の一部なの。

だからこそ、あなたにゴールに向かって進んでいただきたいの。もし戦争が終るまで待たなければならないのなら、待ってください。でもその前に行かなければならないのなら、あなたの夢を求めて出発してください。砂丘は風で変わります。でも砂漠は決して変わりません。私たちのお互いに対する愛も変わりません」

「マクトゥーブ」と彼女は言った。「もし私が本当にあなたの夢の一部なら、あなたはある日私のところへ戻ってくるでしょう」

少年はその日、彼女と別れるのが悲しかった。彼は、自分の知り合いの結婚した羊飼いたちのことを思った。彼らは遠い原野に行かなくてはならない時、妻を説得するのに苦労していたものだった。愛は、愛する者といっしょにいるように彼らに要求した。

次にファティマに会った時、彼はそのことを彼女に話した。

「砂漠は私たちの男を連れてゆきます。そして彼らはいつも、戻ってくるとは限りません」と彼女は言った。「私たちはそれを知っていて、それに慣れています。帰らない人は雲の一部になり、谷間にかくれて住む動物の一部になり、地面から湧《わ》き出る水の一部になります。彼らはあらゆるものの一部になります……彼らは大いなる魂になるのです。

帰ってくる人たちもいます。すると他の女たちは、いつか自分の夫も、戻ってくるかもしれないと思って、幸せになります。私はそうした女たちを見て、彼女らの幸せをうらやましく思ったものでした。今、私もそうした待つ女の一人になります。

私は砂漠の女です。そして私はそれを誇りに感じます。私は自分の夫には、砂丘を作る風のように、自由に歩きまわってほしいのです。そしてもし必要であれば、彼が雲や動物や砂漠の水の一部となることも、私は受け入れるでしょう」

少年はイギリス人を探しにいった。彼にファティマのことを話したかったのだ。少年はイギリス人が彼のテントの外に自分でかまどを作ったのを見て、びっくりした。それはとても奇妙なかまどだった。まきで火をたき、かまの上には透明なフラスコが熱せられていた。イギリス人が砂漠をじっと見つめる時、彼の目は本を読んでいた時よりもずっとキラキラと輝いていた。

「これが仕事の第一段階だ」とイギリス人が言った。「僕は硫黄《いおう》を分解しなければならない。それを成功させるためには、失敗を恐れてはならないのだ。『大いなる作業』をやってみるのをさけていた第一の理由は、失敗を恐れていたことだった。僕は本当は十年も前に始められたことを、今やり始めたのだ。二十年間も待たなかっただけ、少なくとも僕は幸せだよ」

彼は次々と火の中へまきをくべた。少年は、砂漠が沈む夕日でピンク色に染まるまで、そこにいた。少年は自分の疑問に砂漠の静けさが答えてくれるかどうか見るために、砂漠に出ていってみたいという強い気持ちを感じた。

オアシスのなつめやしの木を見失わないように注意しながら、彼はしばらくの間、さまよっていた。彼は風の音を聞き、足の下に石の感触を感じた。そこかしこに貝があった。ずっと昔、そこが海だったことに彼は気がついた。彼は石の上にすわると、心を無にするために、地平線を眺めた。彼は愛と所有の概念を区別しようとしたが、その二つを区別することができなかった。ファティマは砂漠の女だった。そしてもし、彼が彼女を理解できるように助けてくれるものがあるとすれば、それは砂漠だった。

少年がそこにすわってもの思いにふけっていると、上の方で何かが動く気配がした。見あげると、二羽のタカが空高く飛んでいた。

彼はタカが風に乗ってただようようすを見ていた。タカの飛び方には何の法則もないようだったが、少年には何か意味があるように思えた。ただ、それが何の意味かはつかめなかった。少年は鳥の動きを追った。そしてそこから何かを読みとろうとした。もしかしたらこの鳥たちが所有を伴わない愛について、何か説明してくれるかもしれないと思った。

彼は眠くなった。心の中では起きていたいと思ったが、眠ってしまいそうだった。「僕は今、『大いなることば』を学んでいるのだ。世界中のすべてのものが僕にとって何らかの意味を持ち始めている……タカが飛んでいることでさえ」と彼は独り言を言った。そしてそんな気持ちでいる時、彼は自分が恋をしていることをありがたく思った。恋をしていると、ものごとはもっと意味を持ってくるものだ、と彼は思った。

突然、一羽のタカが空を突っ切って、もう一羽のタカを襲った。その時、少年の心に、一瞬、一つのイメージが浮んだ。剣をかざした軍隊が、オアシスに攻め入るイメージだった。その映像はすぐに消えてしまったが、彼をふるえあがらせた。人々がしんきろうのことを話しているのを聞いたことがあった。彼自身も何回か見たことがあった。人々が強く何かを望んでいると、それは砂漠の砂のむこうに形となって現われるのだ。しかし彼は、軍隊がオアシスを襲撃することを、少しも望んではいなかった。

少年はそのヴィジョンを忘れたかった。そして、瞑想《めいそう》に戻ることにした。彼はもう一度、砂漠のピンク色の日影と石に心を集中しようとした。しかし、彼の心の中の何かがそうするのをさまたげた。

「いつも前兆に注意しなさい」と年老いた王様は言っていた。少年は自分がヴィジョンで見たことを思い出した。そして、それが本当に起こる気がした。

彼は立ちあがると、やしの木の方へ戻り始めた。もう一度、彼はまわりのものが語る多くのことばを理解した。今度は砂漠が安全で危険になるのはオアシスだった。

らくだ使いは、やしの根元にすわって、夕日を見ていた。彼は少年が砂丘のむこう側からやって来るのを見た。

「軍隊が攻めてくるぞ」と少年は言った。「僕はヴィジョンを見たんだ」

「砂漠は誰の心にもヴィジョンを見せるものさ」とらくだ使いは言った。

しかし、少年はタカのことを話した。飛んでいるタカを見ていたら、突然、自分が「大いなる魂」の中に飛び込んでしまったと言った。

らくだ使いは少年の言っていることを理解した。地球上のすべてのことは、すべてのものの歴史を表すことができると、彼は知っていた。本のページのどこを開けても、人の手のひらを見ても、一枚のカードをあけても、鳥の飛ぶのを見ても……そこで観察されたものが何であろうと、人はその瞬間、自分の体験しているものとの関連を見つけることができる。実際には、そうしたことそれ自体が、何かを明らかにしているというわけではなかった。人々は自分のまわりに起こっていることを見て、「大いなる魂」とつながる方法を見つけだすことができるということなのだ。

砂漠には、「大いなる魂」とつながることを商売にしている人たちが、たくさんいた。彼らは千里眼として知られており、女たちや年寄りから恐れられていた。部族の男たちはあまり彼らに相談しようとしなかった。なぜなら、もし自分が死ぬように運命づけられていると知っても、戦いには何の役にも立たないからだ。部族の男たちはそれよりも戦いの味わいと、結果が分からないスリルの方が好きだった。未来はすでにアラーの神によって書かれている。そして、すでに未来が決められていることは、人間にとって良いことなのだ。それだからこそ部族の男たちは、いつも今だけに生きていた。今という時は驚異に満ちていて、多くのことに気がつかなければならないからだ。敵の剣はどこにあるか？　敵の馬はどこにいるか？　生き残るために次はどんな攻撃が必要なのか？　らくだ使いは戦士ではなかったので、千里眼に相談したことがあった。正しいことを言う千里眼もたくさんいたが、まちがったことを言う者もいた。するとある日、彼が出会った中で一番年とった千里眼（彼は最も恐れられていた）が、らくだ使いに、おまえはなぜ未来のことに、そんなに興味があるのかとたずねた。

「ええと、……何かできるようにですよ」と彼は答えた。「そして、そうすれば起こってほしくないことを変えられるからです」

「でも、変えることができるものなら、それはおまえの将来の一部ではないということではないか」とその千里眼は言った。

「ではきっと、起こることに前もって準備するために、将来を知りたいのです」

「もし良いことが来るなら、それはうれしい驚きということになるだろう」と千里眼は言った。「もし、悪いことが起こることになっていて、それを前もって知っていたら、おまえさんは、まだ起こらない前から、苦しまなければならないだろう」

「私は男だから、未来のことを知りたいのです」とらくだ使いは千里眼に言った。「男はいつも未来にもとづいて、人生を生きているのです」

千里眼は占い棒を投げる達人だった。彼は占い棒を地面に投げて、それがどのように落ちたかによって、解釈した。その日、彼は占い棒を投げなかった。彼は棒を布きれにつつむと、かばんにしまってしまった。

「わしはな、他人の将来を占って生計をたてているのだ」と彼は言った。「わしは占い棒の科学を知っている。それを使って、すべてが書かれている場所とつながる方法も知っている。そこで過去を読み、すでに忘れ去られていることを発見し、今、ここにある前兆を理解することができるのだ。

人がわしに相談に来る時、わしは未来を読んでいるわけではない。未来を推測しているだけだ。未来は神に属している。未来がわかっているのは神様だけだ。神様が未来を明らかにするのは、特別の事情がある場合だけだ。どうやって未来を推測するのかだって？　それは現在現われている前兆をもとに見るのだ。秘密は現在に、ここにある。もしおまえが、現在によく注意していれば、おまえは現在をもっと良くすることができる。そして、おまえが現在を良くしさえすれば、将来起こってくることも良くなるのだ。未来のことなど忘れてしまいなさい。そして、神様は神の子を愛していると信頼して、毎日を神様の教えにそって生きるがよい。毎日の中に永遠があるのだ」

らくだ使いは、どんな状況の時に神様は将来を見せてくれるのか、たずねた。

「神様がそれを見せてくれる時だ。神様は、ほんの時たまにしか、将来を見せてはくれぬ。神様がそうする時は、それはたった一つの理由のためだ。すなわち、それは、変えられるように書かれている未来の場合だよ」

神様がこの少年に未来の一部をお見せになったのだ、とらくだ使いは思った。どうして神様はこの少年をご自分の道具として、お使いになったのだろうか？

「行って、族長に話しなさい」とらくだ使いは言った。「族長たちに軍隊が近づいていることを知らせなさい」

「そんなことをしたら笑われますよ」

「彼らは砂漠の男たちだ。砂漠の男たちは前兆のあつかい方に慣れている」

「それならば、彼らはおそらく、もう知っていますよ」

「彼らは、今、心配していない。もし、アラーの神が彼らに知ってもらいたいことがあれば、誰かが自分のところに知らせてくるはずだと、彼らは信じている。そうしたことは、前にも何回も起こっているよ。しかし、今回は、知らせるのはおまえだ」

少年はファティマのことを思った。そして、部族の長に会う決心をした。

☆

少年は、オアシスの中央にある、大きな白いテントの前に立っている見張り番に近づいた。

「族長にお会いしたいのです。私は砂漠から前兆を持ってきました」

何も答えずに、見張り番はテントの中に入り、中に入ったまま、しばらくの間、出てこなかった。やがて彼は、白と金色の服を着た若いアラブ人と一緒に出てきた。少年はその若者に自分の見たことを伝えた。その男は、その場で待つように言うと、テントの中に消えた。

夜がふけた。さまざまな戦士や商人がテントに入り、そして出ていった。キャンプファイアーは一つひとつ消され、オアシスは砂漠と同じくらい静かになった。大きなテントの明かりだけが残った。こうした間ずっと、少年はファティマのことを考えていた。ファティマと交わした最後の会話を、まだどうしても理解できなかった。

何時間も待たされたあと、やっと見張り番は少年に中に入るように命じた。中に入って、少年はびっくりした。砂漠のまん中にこんなところがあるとは、想像もできなかったからだ。地面は最も美しいカーペットでしきつめられていた。少年は今まで、こんな美しいカーペットの上を歩いたことがなかった。そして、テントの天井からは手造りの金のランプがつるされ、それぞれに火のともされたろうそくが立てられていた。族長たちはテントの奥に半円形になって、豪華に刺しゅうをほどこした絹のクッションによりかかってすわっていた。召使いたちがスパイスとお茶ののった銀製のお盆を持って、行ったり来たりしていた。他の召使いたちは、水ギセルの火の番をしていた。部屋の中は煙の甘い香りでいっぱいだった。

八人の族長がいたが、少年はすぐにどの人が最もえらい人かわかった。そのアラブ人は、白と金の服を着て半円のまん中にすわっていた。彼の横には先ほど話をした若いアラブ人がひかえていた。

「前兆のことを話すこの見知らぬ者は何者か?」と一人の族長が少年の方に目をやって聞いた。

「私です」と少年が答えた。そして彼は自分が見たことを話した。

「われわれがここに何世代も住んでいるのに、どうして砂漠はそのようなことを、おまえのようなよそ者に示すのか?」ともう一人の族長が言った。

「それは私の目が砂漠に慣れっこになっていないからです」と少年が言った。「砂漠に住んでいる人には見えないものを、見ることができるのです」

そして、自分は「大いなる魂」を知っているからだと、少年は心の中で考えていた。

「オアシスは中立地帯だ。誰もオアシスを襲撃したりはしない」と三番目の族長が言った。

「私は見たことを申し上げただけです。もし信じたくないのなら、何もする必要はありません」

男たちは活発に議論をした。彼らは少年には理解できないアラビア語の方言でしゃべっていた。しかし、彼がテントを出ようとすると、見張り番が待っているようにと言った。

少年は恐ろしくなった。前兆は何かがまちがっていると彼に告げていたからだ。彼は、らくだ使いに自分が砂漠で見たことを話したのを、後悔した。

突然、まん中にいた年長者が、かすかに笑みを浮べたので、少年はほっとした。その男は今まで議論に加わっていなかった。そして事実、それまではひと言も発言していなかった。しかし、少年はすでに「大いなることば」に慣れていたので、テントの中に平和な波動が広がるのを感じとることができた。今、少年はここにやって来て良かったと直感した。

議論は終った。族長たちは長老の発言を聞くために、しばらくの間、静かになった。長老はそれから、おもむろに少年の方を向いた。今度は、彼の表情は冷たくよそよそしかった。

「二千年前、ある遠い国で、夢を信じた一人の男が土牢《つちろう》に投獄され、奴隷として売りに出された」その長老は、今は少年にも理解できる方言で話していた。「われわれの商人が、その男を買い、彼をエジプトに連れてきた。われわれはみな、夢を信じる者は夢の解釈もできると知っていたからだ」

長老は続けた。「ファラオがやせた牛と肥《ふと》った牛の夢を見た時、この男がエジプトを飢《き》饉《きん》から救った。彼の名はヨセフといった。彼もまたおまえのように、見知らぬ土地のよそ者だった。そして、彼もおそらくおまえと同じくらいの年だった」

彼はひと息入れた。彼の目はまだ親しげではなかった。

「われわれはいつもしきたりを守る。しきたりが当時のエジプトを飢饉から救い、エジプト人を最も豊かな国民にした。どのようにして砂漠を越えるのか、どのように子供たちは結婚すべきかを、しきたりは人々に教えている。そして、オアシスは中立的な領土だと言っている。なぜなら、双方がオアシスを持っており、双方共に攻撃を受けやすいからだ」

長老が話を続けている間、誰もひと言も発言しなかった。

「しかし、しきたりはまた、われわれは砂漠のメッセージを信じるべきだ、とも言っている。われわれの知っているすべてのことは、砂漠が教えてくれたのだ」

長老が合図をすると全員が立ちあがった。集会が終ったのだ。水ギセルの火が消され、見張り番は気をつけの姿勢で立った。少年は立ち去ろうとしたが、長老が再び口を開いた。

「明日、われわれはオアシスにおいて、武器を保有してはならないという協定を中断することにした。一日中見張りを立てて敵を警戒する。太陽が沈んだら、男たちはもう一度武器をわしのところに返却する。敵が十名死ぬごとに、おまえに金を一つ与えよう。しかし、武器は戦いで使われなければ、ひきあげることができない。武器は砂漠のように気まぐれで、使わなければ次の時にはうまく働かないことがある。もし明日の終りまでに、武器が一つも使われなかった場合は、それはおまえに対して使われるだろう」

少年がテントを出た時、オアシスは満月の光だけに照らされていた。彼のテントまで、徒歩で二十分の距離があった。彼は自分の宿舎に向かって歩き始めた。

彼は起こったことに気が動転していた。彼は「大いなる魂」に達することができたのに、その代償は自分の命になるかもしれなかった。それは恐ろしいかけだった。しかし、羊を売って自分の運命を追求し始めた日からずっと、彼は非常に危険なかけをしていた。らくだ使いが言っていたように、明日死ぬことでさえ、他の日に死ぬことと別に変わりがあるわけではなかった。毎日は、生きるためにあるか、またはこの世からおさらばするためにあるかのどちらかだった。すべては一つの言葉にかかっていた。それは「マクトゥーブ」だった。

黙って歩きながら、彼は少しも後悔していなかった。たとえ明日死んだとしても、それは神様が未来を変える気がないからなのだ。明日死ぬことになったとしても、それは海峡を渡り、クリスタルの店で働き、砂漠の静寂とファティマの眼を知ったあとだった。彼はずっと前に家を出てから、毎日を精いっぱいに生きてきた。たとえ明日死ぬことになったとしても、他の羊飼いよりずっと多くのものを見てきたし、それを誇りに思っていた。

突然、かみなりのような音がした。そして今まで経験したことのない風に吹きとばされて、彼は地面に投げつけられた。ほこりがもうもうと渦となってまきあがったので、月が見えなくなった。彼の前に巨大な白い馬が恐ろしいいなきをあげて、彼にかぶさるように、うしろ足で立ちあがった。

目をくらませていたほこりが少し静まると、少年は自分が見たものに身をふるわせた。馬にまたがっていたのは黒ずくめの服を着た男で、彼の左肩の上には一羽のはやぶさがとまっていた。彼はターバンを巻き、顔全体を黒い布でおおって、目だけを出していた。その姿は砂漠の使者のように見えたが、ただの使者よりはずっと強烈な存在だった。

馬上のその不思議な男は鞍《くら》にまたがったまま、巨大な剣をさやからひきぬいた。剣のはがねが月光の中でキラキラと輝いた。

「誰がタカの飛び方の意味を読んだのだ？」と彼は大声でどなった。あまりに大きな声だったので、彼の言葉はアルファヨウムの五万本のやしの木の間にこだましたように思えた。

「それは私です」と少年は言った。その男は少年に、白馬にまたがって異教徒をひづめの下にひれふさせている聖サンチャゴの姿を思い出させた。この男はまったく聖サンチャゴそのものに見えた。ただ一つ違うのは馬上の男が味方ではなく、敵だということだった。

「それは私です」と少年はくり返した。そして剣の一撃を受けないように、頭を低くした。「多くの命が救われます。なぜなら、私は『大いなる魂』を見通すことができたからです」

剣はふりおろされなかった。そのかわり、見知らぬ男は剣をゆっくりと下にさげて、少年のひたいに押し当てた。一すじの血が少年のひたいからしたたり落ちた。

馬に乗った男は微動だにしなかった。少年も同じだった。少年は逃げだそうという気も起こらなかった。彼の心の中に不思議な喜びの感覚があった。少年は自分の運命を追求して、まさに死のうとしていた。そしてそれは、ファティマのためでもあった。やはり前兆は正しかったのだ。今、彼は敵と対決していたが、死を恐れる必要はなかった――「大いなる魂」が彼を待ちうけていた。そして彼はすぐに「大いなる魂」の一部になるのだ。そして明日になれば、彼の敵もまたその魂の一部となるだろう。

その見知らぬ男は少年のひたいに、まだ剣を突きつけていた。「おまえはなぜ鳥が飛ぶ様を読んだのだ?」

「僕は鳥が僕に伝えたがっていたことを読んだだけです。彼らはオアシスを救いたかったのです。明日、あなた方は全員死にます。オアシスにはあなた方より多くの男たちがいますから」

剣は相変わらずそのまま動かなかった。「アラーの意志を変えようとするおまえは何者だ？」

「アラーは軍隊をお作りになりました。そしてタカも、アラーが作られました。アラーは僕に鳥の言葉を教えました。すべては同じ手によって書かれているのです」と少年はらくだ使いの言葉を思い出しながら言った。

見知らぬ男は少年のひたいから剣をひいた。少年はほっとした。しかし彼はまだ逃げられなかった。

「おまえの言った予言に気をつけるがよい」と見知らぬ男は言った。「何かがすでに書かれている時、それを変えるすべはない」

「僕が見たのは、軍隊だけです」と少年は言った。「僕は戦いの結果は見ていません」

見知らぬ男はその答えに満足したようすだった。しかし彼は剣を手に持ったままだった。

「この見知らぬ土地でよそ者が何をしているのだ？」

「僕は自分の運命に従っているのです。あなたには関係ありません」

見知らぬ男が剣をさやに収めたので、少年はやっと安心した。

「おまえの勇気をためさなくてはならなかったのだ」とその見知らぬ男は言った。「勇気こそ、大いなることばを理解するために最も重要な資質なのだ」

少年はびっくりした。その見知らぬ男が、ほんの少数の人しか知らぬことを話したからだった。

「こんな遠くまできたのに、あきらめてはならぬぞ」彼はさらに続けた。「砂漠を愛さなければならぬが、全面的に信頼してはいけない。なぜなら、砂漠はすべての男をためすからだ。それはあらゆる段階で挑戦してくる。そして取り乱した者を殺すのだ」

彼の言葉は少年に、年老いた王様を思い出させた。

「もし、戦士がここに攻めこんできて、日没におまえの頭が肩の上にまだあったら、わしを探しにくるがよい」とその見知らぬ男は言った。

剣をふりまわした同じ手が、今やむちを手にしていた。馬が再びうしろ足で立ちあがり、雲のようにほこりをあげた。

「どこに住んでいるのですか？」と馬に乗った男が立ち去ろうとした時、少年が叫んだ。

むちを持った手が、南を指し示した。

少年は錬金術師《アルケミスト》に会ったのだった。

☆

次の朝、二千名の武装した男たちが、アルファヨウムのやしの林の中に散らばった。太陽が天頂にさしかかる前に、五百名の他の部族の男たちが地平線上に現われた。馬に乗ったその軍隊は、北からオアシスに入った。それは平和的な遠征隊のように見えた。しかし、全員、服の下に武器をかくし持っていた。彼らはアルファヨウムの中心にある白いテントに着くと、三日月刀とライフル銃を取りだした。そしてそのテントを襲撃したが、テントの中は空っぽだった。

オアシスの男たちは、砂漠の外から馬に乗った男たちをとり囲み、半時間のうちに一人の男を除いて、すべての侵入者を殺害した。子供たちはやしの林のもう一方のすみにかくされていたので、起こったことを何も見ていなかった。女たちはテントの中にとどまって、夫の安全を祈っていたので、彼女たちも戦いを見なかった。地面に死体がころがっていなかったら、その日もオアシスは普段と変わらぬ日に見えたことだろう。

殺されなかったただ一人の男は、部隊の隊長だった。その日の午後、彼は族長の前にひき出された。族長は彼になぜおきてを破ったのか、問い質《ただ》した。隊長は、自分の部下が長い戦闘のため疲れはて、食料も飲み水もなくなっていたので、オアシスを占領してから戦闘に戻ろうと決めたのだと答えた。

族長は、それは気の毒なことではあるが、おきては神聖なものであると言った。そして隊長に不名誉の死を命じた。剣や銃で殺されるのではなく、隊長は枯れたやしの木につるし首にされた。彼の死体は砂漠の風に吹かれて、ぐるぐるとねじれた。

部族の長は少年をよび、彼に金五十個を与えた。彼はエジプトのヨセフの物語をもう一度くり返した。そして少年にオアシスの相談役になってくれるように頼んだ。

☆

太陽が沈み、一番星が現われた時、少年は南に向かって歩き始めた。彼はついに一つのテントを見つけた。そばを通り過ぎた一団のアラブ人たちは少年に、そこは魔神が住む場所だと教えた。しかし少年は、そこにすわって待った。

月が高くなる前に、錬金術師が馬に乗って視界に現われた。彼は二羽の死んだタカを肩にかついでいた。

「来ましたよ」と少年は言った。

「来るべきではなかったのに」と錬金術師は答えた。「それともおまえの運命が、おまえをここに来させたのか？」

「部族の戦争のため、砂漠を横断することができません。だからここに来ました」

錬金術師は馬からおりた。そして自分と一緒にテントの中へ入るように合図した。それはオアシスにある他の多くのテントと同じものだった。少年は錬金術に使われるかまどや他の器具を探してぐるりとまわりを見廻《みま》わしたが、そのようなものは一つもなかった。ひと山の本と、小さな料理用のコンロと、神秘的なデザインのカーペットがあるだけだった。

「かけなさい。飲みものを飲み、このタカを食べよう」と錬金術師が言った。

少年は、そのタカはもしかしたら昨日自分が見たタカかもしれないと思ったが、何も言わなかった。錬金術師は火を起こした。するとすぐにおいしそうな香りがテントに充《み》ちた。それは水ギセルよりも良い香りだった。

「どうして僕に会いたかったのですか？」と少年がたずねた。

「前兆があったからだ」と錬金術師が答えた。「風が、おまえが来る、そしておまえが助けを必要としていると言ったのだ」

「風が言ったのは僕のことではありません。もう一人の外国人のイギリス人のことです。あなたを探していたのは彼です」

「その男はまず最初になすべきことがあるのだ。しかし、彼は正しい道すじにいる。彼は砂漠を理解しようとし始めているからな」

「私はどうなのですか？」

「人が本当に何かを望む時、全宇宙が協力して、夢を実現するのを助けるのだ」と錬金術師は言った。それは年老いた王様の言ったことと同じだった。少年は理解した。自分の運命に向かうために、もう一人の人物が助けに現われたのだった。

「それで、あなたは僕に何か教えてくださるのですね」

「いや、おまえはすでに必要なことはすべて知っている。わしはおまえをおまえの宝物の方向に向けさせようとするだけだ」

「しかし、部族間の戦争があります」と少年はもう一度くり返した。

「砂漠で起こっていることはわかっている」

「僕はすでに僕の宝物を見つけました。僕にはらくだ一頭と、クリスタルの店でためたお金と五十個の金貨があります。国へ帰れば、僕はお金持ちですよ」

「しかし、そのどれも、ピラミッドで得たものではない」と錬金術師は言った。

「僕にはファティマもいます。彼女は僕の得た何よりも大切な宝物です」

「彼女もピラミッドで見つけたものではない」

二人は黙って食事をした。錬金術師は一本のびんを開け、少年のコップに赤い液体を注いだ。それは少年が今までに味わった中で最もおいしいぶどう酒だった。

「ここではぶどう酒は禁じられているのではありませんか？」と少年は聞いた。

「悪いのは人の口に入るものではない」と錬金術師は言った。「悪いのは人の口から出るものだ」

錬金術師は少し威圧的だった。しかし、少年はぶどう酒を飲むと、気持ちがゆったりとした。食べ終ってから、二人はテントの外にすわった。月の光がこうこうと輝いていたので、星の光ははっきりと見えなかった。

「飲んで楽しんだらいい」と錬金術師は少年が前よりも幸せになっているのに気がついて言った。「今夜はよく休みなさい。戦士が戦いにそなえるように。お前の心があるところに、お前の宝物が見つかる、ということを憶えておくがよい。そこにたどり着くまでに学んだすべてのことが意味を持つために、おまえは宝物を見つけなければならないのだ。

明日、おまえのらくだを売って、馬を買いなさい。らくだは裏切る動物だ。彼らは何千歩歩いても疲れを見せない。そして突然ひざまずくと、死んでしまう。しかし、馬は少しずつ疲れてゆく。だからおまえはいつも、どれだけ歩かせてよいか、いつ馬が死ぬ時か、わかるのだ」

☆

次の日の夜、少年は一頭の馬を連れて、錬金術師のテントに現われた。錬金術師は用意ができていた。彼は自分の馬にまたがると、左肩にはやぶさを止まらせた。彼は少年に言った。「砂漠の中で、生き物のいるところを見つけて、私に示しなさい。生命のしるしを見つけることができる者だけが、宝物を見つけられるのだ」

二人は砂の上を馬に乗って進み始めた。月の光が彼らの行く手を照らしていた。砂漠で生命を見つけることなどできるのだろうかと、少年は思った。僕はまだ、砂漠をそんなによく知っていないのに。

彼は錬金術師にそう言いたかったが、この男のことがこわかった。二人は、少年が空にタカを見た岩場に着いた。しかし今、そこには静寂と風しかなかった。

「どうやって砂漠の中に生命を見つければいいのか、わかりません」と少年は言った。「ここに生命があるのは知っているけれど、どこを探せばよいか、わからないのです」

「生命は生命を引きつけるものだ」と錬金術師は答えた。

そして、少年はすぐに理解した。彼は馬のたづなをゆるめた。馬は岩や砂の上を駆けていった。少年の馬がほとんど半時間も疾走するあとを、錬金術師は追いかけた。オアシスややしの木も見えなくなった——ただ、大きな月が頭上にかかり、銀色の光が砂漠の岩に反射しているだけだった。突然、はっきりした理由もなく、少年の馬がスピードを落し始めた。

「ここに生命があります」と少年は錬金術師に言った。「僕は砂漠のことばはわかりません。しかし、馬は生命のことばを知っています」

二人は馬をおりた。錬金術師は何も言わなかった。ゆっくりと進みながら、二人は石の間を探した。突然錬金術師が立ち止まると、地面にかがみこんだ。石の間に穴が一つあった。錬金術師はその穴に手を入れ、さらに腕全体を肩まで入れた。そこで何かが動いていた。一生懸命のあまり、錬金術師の目——少年には彼の目しか見えなかった——は、片方に寄っていた。彼の腕は穴の中にいる何かと戦っているようだった。それから彼は腕を引き抜くと、ぱっと立ち上った。少年はその動きにびっくりした。彼はヘビのしっぽを手につかんでいた。

少年もとび上って、ぱっと錬金術師から離れた。ヘビは狂ったように攻撃してきた。シュッシュッという音が、砂漠の静寂を破った。それはコブラで、その毒は人を数分で殺すことができた。

「毒に気をつけろ」と少年が言った。錬金術師は穴の中に手を入れたのだから、ヘビにかまれたのは確実だった。にもかかわらず、彼の表情は冷静だった。「錬金術師は二百歳だ」

とイギリス人は少年に言っていた。彼は砂漠のヘビの扱い方を知っていたにちがいなかった。

少年は、錬金術師が馬のところへ行って、三日月刀を引き抜くのを見ていた。彼は三日月刀の刃で砂の上に円を描き、その中にヘビを置いた。毒ヘビはすぐにおとなしくなった。

「心配しなくてもいい」と錬金術師が言った。「ヘビは円の外には出ないからね。おまえは砂漠の中に生命を見つけた。それは、わしが必要としていた前兆なのだ」

「それがなぜ、そんなに重要なのですか?」

「ピラミッドは砂漠に囲まれているからだ」

少年はピラミッドの話をしたくなかった。彼の心は重く、昨晩から物悲しい気分だった。宝物を探し続けるということは、ファティマを捨てなければならないことを意味していた。

「わしがおまえを案内して、砂漠を渡ろう」と錬金術師は言った。

「僕はオアシスにずっといたいのです」と少年は答えた。「僕はファティマを見つけました。僕にとって、彼女の方が宝物よりも大切です」

「ファティマは砂漠の女だ」と錬金術師が言った。「彼女は、男は戻ってくるために遠くへ行かなければならないと知っている。それに、彼女はすでに自分の宝物を見つけたのだ。それはおまえのことだ。だから、彼女はおまえにも、おまえが探しているものを見つけてほしいと思っているのだ」

「では、もし僕がここにとどまったら、どうなるのですか？」

「どうなるか教えよう。おまえはオアシスの相談役になるだろう。たくさんの羊とたくさんのらくだを買うためのお金も、十分に持っている。ファティマと結婚して、二人とも一年間は幸せに過ごす。おまえは砂漠が好きになり、五万本のやしの木の一本いっぽんを知るだろう。それらは、世界が一刻一刻変わってゆくのを証明しながら育っていくだろう。おまえは前兆の読み方がどんどんうまくなってゆく。それは、砂漠が最高の先生だからだ。

二年目のいつ頃か、おまえは宝物のことを思い出す。前兆が執ようにそのことを語りかけ始めるが、おまえはそれを無視しようとする。おまえは自分の知識をオアシスとその住民の幸せのために使う。族長はおまえのすることに感謝する。そして、おまえのらくだは、おまえに富と力をもたらす。

三年目にも、前兆はおまえの宝物や運命について、語り続けるだろう。おまえは夜ごとにオアシスを歩きまわり、ファティマは、自分がおまえの探求のじゃまをしたと思って、不幸になる。しかしおまえは彼女を愛し、彼女はおまえの愛にこたえる。おまえは、ここにいてくれと彼女が決して言わなかったことを思い出す。砂漠の女は、自分の男を待たなければならないと知っているからだ。だからおまえは彼女を責めはしない。しかし、おまえは砂漠の上を歩きながら、もしかして自分は行けたかもしれない……もっとファティマへの自分の愛を信じることができたかもしれない、と何度も考えてしまう。なぜなら、おまえをオアシスに引き止めたものは、二度と帰って来ないのではないかというおまえ自身の恐れだったからだ。その時、おまえの宝物は永久に埋もれてしまったと、前兆は語るだろう。

そして四年目のいつか、前兆はおまえを見捨てるだろう。おまえがもう、それに耳を傾けるのを止めてしまうからだ。部族の長たちはそれを発見して、おまえは相談役の地位を解かれてしまう。しかし、その時にはおまえは金持ちの商人になっていて、多くのらくだや商品を持っている。おまえはその後の人生をずっと、自分は運命を探求しなかった、もうそうするには遅すぎると思って、暮すだろう。

男が自分の運命を追求するのを、愛は決して引き止めはしないということを、おまえは理解しなければいけない。もし彼がその追求をやめたとしたら、それは真の愛ではないからだ……大いなることばを語る愛ではないからだ」

錬金術師は砂の上の円を消した。すると、ヘビはさっさと岩の中へ逃げて行った。少年は、ずっとメッカに行きたいと思っていたクリスタルの商人と、錬金術師を探していたイギリス人のことを思った。彼は砂漠を信じている女性のことを思った。そして、愛する女性のもとに自分を連れてきた砂漠のかなたを見つめた。

　二人は馬にまたがった。今度はオアシスに戻ってゆく錬金術師のあとを、少年がついていった。風はオアシスの音を彼らに運んできた。少年はファティマの声を聞こうとした。

しかし、その夜、円の中のコブラを見ながら、馬に乗り肩にはやぶさをのせた不思議な男は、愛と宝物について、砂漠の女と彼の運命について語ったのだった。

「僕はあなたと一緒に行きます」と少年は言った。すると、彼はすぐに心の中に平和を感じた。

「明日、日の出の前に出発しよう」錬金術師はそう答えただけだった。

☆

　少年は眠れぬ夜を過ごした。夜明けの二時間前、彼は自分のテントに寝ていた少年の一人を起こすと、彼にファティマの住んでいる場所を教えてほしいと頼んだ。二人は彼女のテントに行った。少年はその友人に、一頭の羊を買えるだけのお金を与えた。

それからその友人に、ファティマが寝ているテントの中に入って彼女を起こし、自分が外で待っていると伝えてほしいと頼んだ。その若いアラブ人は頼まれた通りにして、もう一頭、羊を買えるだけのお金をもらった。

「さあ、僕たちだけにしてくれ」少年はその若いアラブ人に言った。アラブ人は自分のテントに寝に戻った。彼はオアシスの相談役を助けたことを誇りに思い、羊を買う十分なお金をもらって幸せだった。

ファティマがテントの入口に現われた。二人はやしの木の間を歩いた。それはおきてを破ることだと少年は知っていたが、今はそれも気にならなかった。

「僕は遠くに行く」と彼は言った。「僕が帰ってくることを、君に知ってもらいたいのだ。僕は君を愛している。なぜなら……」

「何も言わないでください」とファティマがさえぎった。「人は愛されるから愛されるのです。愛に理由は必要ありません」

しかし少年は続けた。「僕は夢を見た。そして王様に出会った。クリスタルを売って、砂漠を横断した。そして、部族同士が戦争を始めたので、僕は錬金術師を探しに井戸へ行った。こうして全宇宙が共謀して、僕を助けて君に会わせたのだ。だから、僕は君を愛している」

二人は抱き合った。お互いに相手に触れたのは、これが初めてだった。

「僕は帰ってくるよ」と少年が言った。

「今まで、私はいつもあこがれを持って砂漠を見ていました」とファティマは言った。

「これからは、希望を持って見るでしょう。私の父は、ある日、出ていきました。しかし、母のところへ戻ってきました。それ以来、父は必ず帰ってきます」

二人はそれ以上、何も言わなかった。やしの林の中をもう少し歩いてから、少年は彼女をテントの入口まで送った。

「君のお父さんがお母さんのところに帰ってきたように、僕も戻ってくるからね」と彼は言った。

ファティマの目は涙でいっぱいになった。

「泣いているの?」

「私は砂漠の女よ」と彼女は顔をそむけながら言った。「でも、それ以上に私は女ですもの」

ファティマはテントの中に戻っていった。そして明るくなってから、何年もやり続けている仕事をしに外へ出た。しかし、すべてが変わっていた。少年はもうオアシスにいなかった。そしてオアシスは、ほんの昨日まで持っていた意味を、二度と再び持つことはなかった。そこはもう、五万本のやしの木と三百の井戸がある、巡礼者が長い旅の終りにたどり着いてほっとする場所ではなかった。その日以来オアシスは、彼女にとって、空しい場所になった。

その日からは、砂漠の方が大切になった。彼女は毎日砂漠を眺め、少年がどの星に従って宝物を探しているのか、想像するのだった。そして風に乗せてキスを送り、その風が少年のほほにふれてほしいと思った。彼に、自分は生きていると伝えてほしかった。彼を待っていると伝えてほしかった。彼女は、宝物を探しにいった勇気ある若者を待っている女だった。その日以来、砂漠は彼女にとって、たった一つのことを意味するようになった。彼が帰ってくるという希望だった。

☆

「背後に残してきたことを考えてはいけない」砂漠の砂を横断し始めた時、錬金術師は少年に言った。「すべては大いなる魂に書かれている。そして、そこに永遠に残っているのだ」

「男は出ていくことよりも、家へ帰ることを夢見るものです」と少年が言った。彼はすでに砂漠の静寂に再び慣れ親しんでいた。

「もしおまえが見つけたものが純粋なものから成っていれば、それは決して朽ちることはない。そして、おまえは必ず戻ることができる。もしおまえが見つけたものが、星の爆発のように一瞬の光にすぎなければ、おまえは戻ったとしても何も見つけることはできないだろう」

男は錬金術のことばを話していたが、少年は彼がファティマのことを言っているのだと知っていた。

少年にとって、あとに残してきたものを考えずにいることは、むつかしかった。砂漠は限りなく単調で、少年を夢に誘った。少年は今も、やしの木や井戸や自分が愛した女性の顔を見ることができた。彼は実験をしているイギリス人や、自分ではそうと知らずに教師の役をしていたらくだ使いも、見ることができた。たぶん、錬金術師は一度も恋をしたことがないのだろう、と少年は思った。

錬金術師は肩にはやぶさを乗せて、少年の前を馬で進んでいた。はやぶさは砂漠のことばをよく知っていた。そして彼らがとまると必ず飛び立って、獲物を探しにいった。第一日目、彼はうさぎを捕えて帰ってきた。そして二日目には、二羽の鳥を捕えてきた。

夜になると、二人は寝具を広げた。そして火は外から見えないように隠しておいた。砂漠の夜は寒く、月が欠けてゆくにしたがって、どんどん暗くなっていった。彼らは一週間の間進んだ。交わす言葉といえば、部族間の戦いに巻き込まれないために、守らなければならない事柄についてだけだった。戦争は続いており、時には風が甘い、むかつくような血のにおいを運んできた。近くで戦いが行われているのだった。そして風は少年に、前兆のことばがあること、それは常に、少年の目が見落したものを彼に教えようとしていることを、思い出させた。

七日目に、錬金術師はいつもより早目にキャンプをすることに決めた。はやぶさは獲物を捕りに飛んでいった。錬金術師は、少年に水の入った入れものをわたした。

「おまえは、もうほとんど旅の終りにいる」と錬金術師が言った。「おまえが自分の運命を追求してきたことに対して、おめでとうと言おう」

「でも、この旅であなたは僕に何も教えてくれませんでしたね」と少年は言った。「僕は、あなたが知っていることを僕に教えてくれるものだと思っていました。少し前、僕は錬金術のことを書いた本を持っている人と一緒に、砂漠を渡ってきました。でも、僕は本からは何も学ぶことができませんでした」

「学ぶ方法は一つしかない」と錬金術師は答えた。「それは行動を通してだ。おまえは必要なことはすべて、おまえの旅を通して学んでしまった。おまえはあと一つだけ、学べばいいのだ」

少年はそれが何なのか、知りたかった。しかし錬金術師ははやぶさを探して、地平線のかなたを見ていた。

「あなたはなぜ、錬金術師と呼ばれているのですか?」

「錬金術師だからさ」

「では、他の錬金術師が金を作ろうとしても作れなかったのは、何がまちがっていたのですか？」

「彼らはただ金だけを探しているのだ」と錬金術師は答えた。「彼らは自分たちの運命の宝物だけを求めていて、実際に運命を生きたいとは思っていないのだ」

「僕がまだ知らなければならないことは、何ですか？」と少年がたずねた。

しかし、錬金術師は地平線を見つめ続けていた。そしてついに、はやぶさが食事を持ち帰ってきた。炎の光が見えないように、二人は穴を掘ってその中に火をおこした。

「わしはただ錬金術師だから、錬金術師なのだ」と彼は食事を用意しながら言った。「わしは錬金術をわしのおじいさんから学んだ。彼はそれをその父親から学び、そうしてどんどんさかのぼってゆくと、この世界ができた時まで行きつくのだ。その頃、この『大いなる作業』は、エメラルドの上に簡単に書かれていた。しかし、人間は簡単なものを拒否し始め、論文や解説書や哲学的研究を書き始めた。彼らはまた、自分たちは他の人よりももっと良い方法を知っていると思い始めた。しかし、エメラルド・タブレットは、今も生きている」

「エメラルド・タブレットには、何が書かれているのですか？」少年は知りたがった。

錬金術師は砂に図を描き始め、五分以内に描き終った。彼が描いている間、少年は年老いた王様と、あの日二人が出会った広場を思い出していた。それはもう、何年も前のことのように思われた。

「これがエメラルド・タブレットに書かれていることだ」描き終った時、錬金術師が言った。

少年は砂の上に描かれているものを読もうとした。

「これは暗号ですね」少年は少しがっかりして言った。「僕がイギリス人の本の中で見たものと、同じように見えます」

「いいや、違う」と錬金術師が答えた。「これはあの二羽のタカが飛んでいるのと、同じようなものだ。これは理屈だけではわからないものなのだ。エメラルド・タブレットは、大いなる魂への直接の通路なのだ。

賢人は、この自然の世界は単なるまぼろしで、天国の写しにすぎないと言っている。この世が存在しているということは、ただ単に、完全なる世界が存在するという証拠にすぎないのだ。目に見えるものを通して、人間が霊的な教えと神の知恵のすばらしさを理解するために、神はこの世界を作られたのだ。それが、行動を通して学ぶとわしが言ったことなのだよ」

「僕はエメラルド・タブレットを理解すべきですか？」と少年はたずねた。

「もしおまえが錬金術の実験室にいるとしたら、エメラルド・タブレットを学ぶ良い機会だったろう。だが、おまえは砂漠にいる。砂漠に浸り切るがよい。砂漠がおまえに世界を教えてくれるだろう。本当は、地球上にあるすべてのものが、教えてくれるのだ。おまえは砂漠を理解する必要もない。おまえがすべきことはただ一つ、一粒の砂をじっと見つめることだけだ。そうすれば、おまえはその中に、創造のすばらしさを見るだろう」

「どのように、砂漠に浸り切ればいいのですか？」

「おまえの心に耳を傾けるのだ。心はすべてを知っている。それは大いなる魂から来て、いつか、そこへ戻ってゆくものだからだ」

☆

さらに二日の間、二人は黙ったまま砂漠を渡った。錬金術師は前よりもいっそう、注意深くなった。最も激しい戦いが行われている場所に、近づいていたからだった。進みながら、少年は自分の心に耳を傾けようと努力した。

それはやさしくはなかった。最初は、彼の心はいつも物語を語ろうとしたが、今はそうではなかった。彼の心が何時間も、悲しみを話し続ける時もあった。また、他の時には、彼の心は砂漠の日の出を見て感傷的になり、少年は涙をかくさなければならなかった。宝物のことを少年に話す時、彼の心は早鐘のようにどきどきしていた。少年が砂漠の限りない地平線を眺めてうっとりしていると、彼の心はゆっくりと脈打っていた。しかし、少年と錬金術師が沈黙している時でさえ、彼の心は決して静かにならなかった。

「どうして僕たちは自分の心に耳を傾けなければならないのですか?」その日、キャンプの支度をしたあと、少年はたずねた。

「おまえの心があるところが、おまえが宝物を見つける場所だからだ」

「でも、僕の心はゆれ動いています」と少年は言った。「心は自分の夢を持ち、感情的になり、砂漠の女を思って情熱的になります。そして僕にいろいろなことを質問し、僕が彼女のことを考えると、何日も僕を眠らせてくれません」

「おやおや、それは良いことではないか。おまえの心が生きている証拠だ。心が言わねばならないことを、聞き続けなさい」

次の三日間、二人の旅人は、たくさんの武装した男たちとすれちがった。そして、地平線上にも、他の武装した男たちの姿を見かけた。少年の心は恐怖を語り始めた。そして少年に、大いなる魂から聞いた物語を話した。宝物を探しに行ったものの、成功しなかった男たちの物語だった。そのために、少年は時々、宝物を見つけられないのではないか、この砂漠の中で死ぬのではないかと考えて、こわくなった。またある時には、心は自分は満足した、愛と富を見つけたと、少年に告げた。

「僕の心は裏切り者です」馬を休ませるために止まった時、少年は錬金術師に言った。

「心は僕に旅を続けてほしくないのです」

「それはそうだ」と錬金術師は答えた。「夢を追求してゆくと、おまえが今までに得たものをすべて失うかもしれないと、心は恐れているのだ」

「それならば、なぜ、僕の心に耳を傾けなくてはならないのですか?」

「なぜならば、心を黙らせることはできないからだ。たとえおまえが心の言うことを聞かなかった振りをしても、それはおまえの中にいつもいて、おまえが人生や世界をどう考えているか、くり返し言い続けるものだ」

「たとえ、僕に反逆したとしても、聞かねばならないのですか?」

「反逆とは、思いがけずやって来るものだ。もしおまえが自分の心をよく知っていれば、心はおまえに反逆することはできない。なぜならば、おまえは心の夢と望みを知り、それにどう対処すればいいか、知っているからだ。

　おまえは自分の心から、決して逃げることはできない。だから、心が言わねばならないことを聞いた方がいい。そうすれば、不意の反逆を恐れずにすむ」

少年は砂漠を横断しながら、自分の心の声を聞き続けた。すると彼は、心のごまかしや企《たくら》みがわかってきて、それをそのまま受け入れられるようになった。彼は恐れをなくし、オアシスに戻る必要を忘れた。ある日の午後、彼の心が自分は幸せだと言ったからだった。

「時々私は不満を言うけれど」と心は言った。「私は人の心ですからね。人の心とはそうしたものです。人は、自分の一番大切な夢を追求するのがこわいのです。自分はそれに値しないと感じているか、自分はそれを達成できないと感じているからです。永遠に去ってゆく恋人や、楽しいはずだったのにそうならなかった時のことや、見つかったかもしれないのに永久に砂に埋もれた宝物のことなどを考えただけで、人の心はこわくてたまりません。なぜなら、こうしたことが本当に起こると、非常に傷つくからです」

「僕の心は、傷つくのを恐れています」ある晩、月のない空を眺めている時、少年は錬金術師に言った。

「傷つくのを恐れることは、実際に傷つくよりもつらいものだと、おまえの心に言ってやるがよい。夢を追求している時は、心は決して傷つかない。それは、追求の一瞬一瞬が神との出会いであり、永遠との出会いだからだ」

「夢を追求する一瞬一瞬が神との出会いだ」と少年は自分の心に言った。「僕が真剣に自分の宝物を探している時、毎日が輝いている。それは、一瞬一瞬が宝物を見つけるという夢の一部だと知っているからだ。本気で宝物を探している時には、僕はその途中でたくさんのものを発見した。それは、羊飼いには不可能だと思えることに挑戦する勇気がなかったならば、決して発見することができなかったものだった」

そして、彼の心はその日の午後ずっと、静かだった。その夜、少年はぐっすり眠った。そして目覚めた時、彼の心は大いなる魂からやって来たことばを、彼に語り始めた。幸せな人はみな、自分の中に神を持っていると、心は言った。そして、その幸せは、錬金術師が言ったように、砂漠の一粒の砂の中に見つけられるのだと語った。なぜならば、一粒の砂は創造の瞬間であり、しかも宇宙はそれを創造するために何億年もかけていたからだった。「地球上のすべての人にはその人を待っている宝物があります」と彼の心は言った。「私たち人の心は、こうした宝物についてめったに語りません。人はもはや、宝物を探しに行きたがらないからです。私たちは子供たちにだけ、その宝物のことを話します。そのあと、私たちは、人生をそれ自身の方向へ、それ自身の宿命へと、進んでゆかせます。しかし不幸なことに、ごくわずかの人しか、彼らのために用意された道――彼らの運命と幸せへの道を進もうとしません。ほとんどの人は、世界を恐ろしい場所だと思っています。そして、そう思うことによって、世界は本当に恐ろしい場所に変わってしまうのです。

ですから、私たち人の心は、ますます小声でささやくようになります。私たちは決して沈黙することはありませんが、私たちの言葉が聞こえないように望み始めるのです。自分の心に従わないばかりに、人々が苦しむのを、私たちは見たくないからです」

「なぜ、人の心は夢を追い続けろと言わないのですか？」と少年は錬金術師にたずねた。

「それが心を最も苦しませることだからだ。そして心は苦しみたくないのだ」

その時から、少年は自分の心を理解した。彼は心に、お願いだから、話しかけるのを決して止めないでくれと頼んだ。そして自分が夢から遠くへそれてしまった時は、強く言い張って警報を鳴らしてほしいと頼んだ。そして、警報を聞いたら必ず、そのメッセージに気をつけるからと誓った。

その夜、彼はこのことをみな、錬金術師に話した。錬金術師は、少年の心が大いなる魂に戻ったことを知った。

「それで、僕は今、何をすべきでしょうか？」と少年はたずねた。

「ピラミッドの方向に進むのだ」と錬金術師は言った。「そして前兆に注意し続けるのだ。おまえの心は、どこに宝物があるか、まだ、おまえに示すことができる」

「それが、僕の知らなければならないことですか？」

「いやちがう」と錬金術師は答えた。「おまえが知らなければならないのは、こうだ。夢が実現する前に、大いなる魂はおまえが途中で学んだすべてのことをテストする。それは悪意からではなく、夢の実現に加えて、夢に向かう途中で学んだレッスンを、おまえが自分のものにできるようにするためだ。ここで、ほとんどの人があきらめてしまう。これは、われわれが砂漠のことばで、『人は地平線にやしの木が見えた時、渇して死ぬ』と言っている段階なのだ。

すべての探求は初心者のつきで始まる。そして、すべての探求は、勝者が厳しくテストされることによって終るのだ」

少年は自分の国の古いことわざを思い出した。それは、夜明けの直前に、最も暗い時間がくる、というものだった。

☆

次の日、最初のはっきりした危険のしるしがあらわれた。三人の武装した部族の男が近づいてきて、少年と錬金術師に、そこで何をしているのかと聞いた。

「わしははやぶさで狩をしているのだ」と錬金術師は答えた。

「おまえたちが武器をもっているかどうか、調べなければならない」と男の一人が言った。

錬金術師はゆっくりと馬からおりた。少年も同じようにした。

「おまえはなぜ、金《かね》を持っているのだ？」と部族の男は少年のかばんを調べて言った。

「ピラミッドまで行くために必要だからです」と彼は言った。

錬金術師の持ちものを調べていた男が、液体の入った小さなガラスのフラスコと、にわとりの玉子より少し大きめの黄色いガラスの玉を見つけた。

「これは何だ？」と彼はたずねた。

「それは、賢者の石と不老不死の霊薬だ。錬金術師の大いなる作業だよ。その不老不死の霊薬を飲んだものは、二度と再び病気になることはない。また、その石のひとかけは、どんな金属でも金に変えるのだ」

アラブ人たちは声をたてて笑った。錬金術師も一緒に笑った。彼らはその答えをおもしろがって、少年と錬金術師に荷物をそのまま持って旅を続ける許しを与えた。

「あなたは気でも違ったのですか？」二人がまた進み始めると、少年は錬金術師に言った。「何のために、あんなことを言ったのですか？」

「おまえに、人生で最も単純なレッスンを教えるためだ」と錬金術師は答えた。「おまえが自分の内にすばらしい宝物を持っていて、そのことを他の人に話したとしても、めったに信じてもらえないものなのだよ」

二人は砂漠をさらに横断し続けた。日がたつにつれ、少年の心はどんどん静かになっていった。心はもはや、過去や未来について知りたがらなかった。ただ砂漠をじっと見つめ、少年と一緒に大いなる魂から吸収するだけで、満足していた。少年と彼の心は友達になり、今や、どちらも相手を裏切ることはできなくなった。

彼の心が少年に話しかける時、それは少年に刺激と力を与えるためだった。砂漠の沈黙の日々は退屈だったからだ。彼の心は、何が彼の一番強力な資質であるか、少年に話してくれた。それは、羊をあきらめて自分の運命を生きようとした勇気と、クリスタルの店で働いていた時の彼の熱心さだった。

さらに彼の心は、少年が自分で気づいていなかったことも、話してくれた。危険が彼をおびやかしていたのに、少年がそれにまったく気がつかなかった時のことだ。一度は、少年が父親から盗んだライフル銃を、心がかくしてしまったことがあった。少年が自分を傷つける恐れがあったからだった。また、少年が平原で病気になり、食べたものを吐いたあと、ぐっすり眠ってしまった時のことを、心は彼に思い出させた。彼の行く手には二人の盗賊が待ちかまえていて、少年が来たら羊を盗み、彼を殺してしまおうと計画していた。しかし、少年が来なかったので、彼が別の道を行ったのだろうと思い、二人は行ってしまったのだった。

「人の心はいつでもその人を助けるのですか？」と少年は錬金術師に聞いた。

「ほとんどは、夢を実現しようとしている人の場合だけだ。しかし、人の心は子供や酔払いや年寄りも助ける」

「つまり、僕はこれからは決して、危険にぶつからないということですか?」

「心はできることを行うだけだ」と錬金術師は言った。

ある日の午後、彼らはある部族の野営地のそばを通り過ぎた。その野営地の四隅には、美しい白い服を着て武器を手にしたアラブ人たちが集まっていた。男たちは水ギセルを吸い、戦場からのニュースを交換し合っていた。誰も二人の旅人に注意を払わなかった。

「危険はありませんでしたね」二人が野営地のあった場所を通り過ぎてから、少年が言った。

錬金術師は怒った声で言った。「おまえの心を信頼するのはいい。しかし、砂漠にいるということを、決して忘れてはならない。人間が互いに戦っている時、大いなる魂は戦いの悲鳴を聞いている。太陽の下のあらゆる出来事の結果は、すべての人々に振りかかってくるのだ」

すべては一つだ、と少年は思った。その時、まるで砂漠が錬金術師の言葉は正しいと証明したがっているかのように、彼らのうしろから、馬に乗った男が二人現われた。

「これ以上、おまえたちは進んではならぬ」と一人が言った。「おまえたちは、部族が戦争をしている場所にいるのだ」

「私はそう遠くまでは行きません」錬金術師は馬に乗った男たちの目を、まっすぐに見て言った。彼らはしばらく黙っていたが、少年と錬金術師に行っていいと言った。

少年は錬金術師と二人の男とのやりとりを、感心して眺めていた。「あなたは彼らをにらみつけて、あの二人の男を支配していましたね」と少年は言った。

「目は、その人の魂の強さを示す」と錬金術師が答えた。

その通りだと、少年は思った。さっき通り過ぎた野営地で、武装した大勢の男たちのうちの一人が、二人をじっと見つめていたことに少年は気がついていた。彼とは距離がずっと離れていたので、顔ははっきり見えなかった。それなのに、少年はその男が自分たちを見ているのに、気がついたのだった。

地平線いっぱいに広がっていた山岳地帯をやっと越えた時、ピラミッドまであと二日のところまで来たと、錬金術師は言った。

「もうじき別々の道を行くようになるのでしたら、僕に錬金術を教えてください」と少年は言った。

「おまえはもう、錬金術を知っている。それは大いなる魂とつながることであり、おまえのためにとってある宝物を発見するということなのだ」

「いいえ、僕が言っているのは、そのことではありません。僕は鉛を金に変える方法のことを言っているのです」

　錬金術師は砂漠のように静まりかえった。そして彼が答えたのは、食事のために止まってからだった。

「宇宙にあるすべてのものは進化している」と彼は言った。「そして賢人にとって、金は最も進化した金属だ。理由はわしに聞かないでほしい。わしは知らないからだ。ただ、伝統はいつも正しいということを、わしは知っている。

　人々は賢人の言葉を決して理解しなかった。だから、金は進化のシンボルとはみなされずに、争いのもとになってしまったのだ」

「ものによって語られることばはたくさんあります」と少年が言った。「らくだのいななきが、僕にとってただのいななきにすぎなかった時がありました。それから、それは危険を知らせる警告になりました。そして、最後にそれはまた、ただのいななきになりました」

　しかし、そこで少年はやめた。錬金術師はきっと、もうそんなことはすべて知っているだろう。

「わしは本物の錬金術師たちを知っていた」と錬金術師は言った。「彼らは実験室の中に閉じこもって、金のように進化しようとした。そして、彼らは賢者の石を見つけた。なぜなら、何かが進化する時、まわりのすべてのものが進化することを、彼らは理解したからだ。

ある者は偶然に賢者の石にぶつかった。彼らは最初からそのように生まれついていて、その魂は他の人の魂よりも、こうしたことに対してずっと準備ができていたのだ。しかし、こうした人は何人もいない。非常にまれな存在なのだ。

ただ単に、金にしか興味を持たない者もいた。彼らが秘密を発見することは決してなかった。鉛や銅や鉄が、それぞれに果たすべき運命を持っていることを、彼らは忘れてしまったのだ。そして、他の者の運命をじゃまする者は、自分の運命を決して発見しはしない」

錬金術師の言葉は呪文《じゅもん》のように鳴りひびいた。彼は手をのばして、地面から貝がらを拾った。

「この砂漠は、かつては海だった」と彼は言った。

「僕も気がつきました」と少年が答えた。

錬金術師は、少年にその貝を耳に近づけるように言った。子供の頃、少年は何回となく、そうやって海の音を聞いたものだった。

「海はこの貝の中に今も生き続けている。それがその運命だからだ。そして、砂漠がもう一度水におおわれるまで、そうし続けるだろう」

二人は馬にまたがると、エジプトのピラミッドの方向へ向かって進んだ。

☆

少年の心が危険を知らせた時、太陽は沈みつつあった。彼らは大きな砂丘に囲まれていた。少年は、錬金術師が何か感じ取っているかどうか知りたくて、彼の方を見た。しかし、彼は危険には何も気がついていないようだった。五分後、少年は二人の馬に乗った男が、前方で彼らを待っているのに気がついた。少年が錬金術師に何も言わないうちに、その二人は十人になり、すぐに百人になった。そして、彼らは砂丘のいたるところにいた。

彼らは青い服を着て、ターバンのまわりに黒い輪をかぶった部族だった。顔は青いベールでおおわれ、目だけが見えていた。

遠くからでさえ、彼らの目は魂の強さを伝えていた。彼らの目は死を物語っていた。

☆

二人は近くの軍隊の野営地に連れてゆかれた。一人の兵士が、少年と錬金術師をテントの中へ押し込んだ。そこでは部族の首領が、部下と会議を開いていた。

「こいつらはスパイだ」と男の一人が言った。

「われわれはただの旅行者です」と錬金術師が答えた。

「三日前、おまえたちは敵の野営地にいた。そして、そこの軍隊の一人と話していたではないか」

「私はただ砂漠をさまよい、星のことを知っている人間にすぎません」と錬金術師は言った。「私は軍隊に関する情報も、部族の動きについても知りません。ここにいる友人のガイドにすぎません」

「おまえの友人は何者だ？」と首領がたずねた。

「錬金術師です」と錬金術師は言った。「彼は自然の力を理解しています。そして、彼は自分のすごい力を、みなさんにお見せしたいと言っています」

少年は黙って聞いていた。そして、恐れていた。

「ここでよそ者が何をしているのだ？」ともう一人の男が聞いた。

「彼は、あなた方にお金をさしあげるために持ってきました」少年が一言も言わないうちに、錬金術師が言った。そして、少年のかばんをつかむと、錬金術師は金貨を首領にさし出した。

アラブ人は黙ってそれを受け取った。それは武器が十分に買える額だった。

「錬金術師とはいったい何なのか？」と彼は聞いた。

「自然と世界を理解している男のことです。彼はその気になれば、風の力でこの野営地を破壊することもできます」

男たちは笑った。彼らは戦争の破壊力を知っていた。また、風が自分たちに致命的な打撃を与えることはないということも、知っていた。しかし、全員が、自分たちの心臓がいつもより少し早く打ち始めたのを、感じていた。彼らは砂漠の男だった。そして、魔法使いを恐れていた。

「彼がそうするところを見たいものだ」と首領が言った。

「それには三日間必要です」と錬金術師が答えた。「彼はその力をお見せするために、自分を風に変えてみせます。もし、彼がそうできなかったならば、恐れ多くも私どもは、あなたの部族の名誉のために、命をさしあげます」

「すでにわしのものであるものを、おまえはわしに差し出すことはできぬ」と首領は尊大な口調で言った。しかし、彼は旅人に三日の猶予を与えた。

少年は恐ろしくて体がふるえていた。しかし、錬金術師は彼を助けてテントの外に出た。

「こわがっているのを彼らに見せてはいけない」と錬金術師は少年に言った。「彼らは勇敵な男たちだ。臆病者《おくびょうもの》を軽べつする」

しかし少年は、口をきくことさえできなかった。キャンプの中心を通り過ぎてから、やっと何か言えるようになった。二人を牢屋《ろうや》に入れる必要はなかった。アラブ人は彼らの馬を取りあげてしまっていた。そして再び、世界はその多くのことばを示したのだった。ほんの数分前まで、砂漠は無限で自由だった。しかし今、それは通り抜けることのできない壁となった。

「あなたは、僕の持っていたものを、全部与えてしまった」と少年は言った。「僕が一生かかってためたものだったのに!」

「でも、もし死んでしまったら、それが何の役に立つのだね?」と錬金術師は答えた。

「おまえのお金でわれわれの命が三日間だけ助かったのだ。お金で命を救えることは、めったにないよ」

しかし、少年はあまりに恐ろしかったので、その知恵の言葉を聞くことができなかった。彼はどうすれば自分を風に変えられるのか、見当もつかなかった。彼は錬金術師ではなかった。

錬金術師は兵士の一人に頼んでお茶をもらうと、少年の手首にそれをたらした。波のように安堵《あんど》感が少年に押し寄せた。錬金術師は、少年にはよくわからない言葉をぶつぶつと唱えた。

「恐怖に負けてはいけないよ」と錬金術師は不思議にやさしい声で言った。「恐怖に負けてしまうと、おまえは心に話しかけることができなくなってしまうからね」

「でも、僕はどうやって自分を風に変えればいいか、わからないのです」

「もし、自分の運命を生きてさえいれば、知る必要のあるすべてのことを、人は知っている。しかし夢の実現を不可能にするものが、たった一つだけある。それは失敗するのではないかという恐れだ」

「僕は失敗するのを恐れてはいません。ただ、自分をどうやって風にするのか、わからないのです」

「ああ、それはおまえが学ばなくてはならない。おまえの命がかかっているからね」

「でも、僕ができなかったら？」

「その時は、おまえは夢を実現する途中で死ぬのだ。それでも、自分の運命が何か知りもしない何百万人よりかは、ずっと良い死に方なのだよ。

しかし、心配することはない」さらに錬金術師は続けた。「普通、死の脅威は、自分の人生について、人に多くのことを気づかせてくれるものだ」

☆

第一日目が過ぎた。近くで大きな戦いがあって、何人もの負傷者が野営地に運びこまれてきた。死んだ兵士は他の兵士に置きかえられ、人生はそのまま続いた。死は何ごとをも変えないのだと、少年は思った。

「おまえは今、死ななくてもよかったのに」と一人の兵士が仲間の死体に向かって言った。

「平和になってから死ねばよかったのに。でも、いずれにしろ、いつかは死ぬのだけれど」

その日の終り頃、少年は錬金術師を探しに行った。彼ははやぶさを連れて、砂漠に出ていた。

「僕はまだ、どうすれば自分が風になれるのかわかりません」と少年は同じことをくり返した。

「わしがおまえに言ったことを憶えておきなさい。世界は、神の、目に見える側面にすぎない。そして、錬金術とは、魂の完全性を物質界にもたらすことなのだ」

「あなたは何をしているのですか？」

「はやぶさにえさをやっている」

「もし僕が風に変わることができなければ、僕たちは死ななくてはなりません」と少年は言った。「なぜはやぶさにえさをやるのですか？」

「死ぬかもしれないのはおまえだよ」と錬金術師が言った。「わしは自分を風に変える方法を、すでに知っている」

☆

第二日目、少年は野営地の近くにある崖《がけ》の上に登った。見張りの兵士たちは、彼にそこに行ってもいいと言った。彼らは、風に姿を変えるという魔法使いのことをすでに聞いていて、その少年の近くにはいたくなかった。いずれにしても、砂漠を越えることは不可能だった。

二日目の午後ずっと、少年は砂漠を見、自分の心に耳を傾けて過ごした。彼は、砂漠が彼の恐怖を感じているのを知った。

少年も砂漠も、同じことばを話していた。

☆

第三日目、首領は彼の部下たちを集めた。彼は錬金術師を会議に呼び出して言った。

「自分を風に変えるという少年を見にゆこう」

「まいりましょう」と錬金術師が答えた。

少年は、彼らを前の日に行った崖のところへ案内した。そして、みんなにそこに腰をおろすように言った。

「少し時間がかかります」と少年は言った。

「われわれは急ぎはしない」と首領が答えた。「われわれは砂漠の男だ」

少年は地平線を見た。遠くの方に山があった。そして、砂丘や岩や、とても生きていけそうにない場所にしがみついて生きている植物もあった。そこには、少年が何ヵ月もの間さ迷っていた砂漠があった。そんなに長くいたにもかかわらず、彼はそのほんの一部しか知らなかった。そのほんの一部の中で、彼はイギリス人や隊商や部族間の戦争や、五万本のやしの木と三百の井戸のあるオアシスに出会ったのだった。

「今日はおまえは何が欲しいのかな?」と砂漠が少年にたずねた。「昨日、おまえはわしをずっと長い時間、眺めて過ごしたではないか?」

「あなたは私の愛する人をどこかに抱いています」と少年は言った。「だからあなたの砂を見ている時は、僕は彼女も見ているのです。僕は彼女のもとへ帰りたい。僕が風になれるように、僕を助けてほしいのです」

「愛とは何だ?」と砂漠がたずねた。

「愛とは、あなたの砂の上をゆくはやぶさの飛翔《ひしょう》です。なぜならば、彼にとって、あなたは緑の平原であり、そこからいつも獲物を捕って戻ってくるからです。彼はあなたの岩や砂丘や山を知っています。そしてあなたは彼に対して寛大です」

「はやぶさのくちばしは、わしの一部を運んでゆくのだ」と砂漠は言った。「何年もかかって、わしは乏しい水を与えては彼の獲物を養っている。そして、彼に獲物がどこにいるか、示してやる。するとある日、その獲物がわしの上で成長するようすをわしが楽しんでいると、はやぶさが空からやってきて、わしが育てたものを捕っていってしまうのだ」

「でも、その獲物を育てたのは、もともとそのためでしょう」と少年は答えた。「はやぶさを養うためです。そしてはやぶさは人を養います。そして、人はあなたの砂を養い、そこに再び獲物が育ちます。それが世界の成り立ちなのです」

「それで、それが愛というものなのかね？」

「そうです。それが愛というものです。それは獲物をはやぶさにし、はやぶさを人にし、人を今度は砂漠にするものです。それは鉛を金に変え、金を地球に戻すものなのです」

「おまえが何を話しているのやら、わしにはわからない」と砂漠は言った。

「でも、少なくとも、あなたの砂のどこかに僕を待っている女性がいるということは、わかってくれますね。だから、僕は自分を風に変えなくてはならないのです」

砂漠はしばらくの間、返事をしなかった。

それから砂漠は少年に言った。「風が吹くのを助けるために、わしは砂をおまえにあげよう。しかし、わしだけでは何もできない。おまえは風に助けを求めなくてはならない」

そよ風が吹き始めた。部族の男たちは、少年を遠くから見ていた。彼らは仲間同士で、少年には理解できない言葉で話していた。

錬金術師はにっこりした。

風が少年に近づいて、彼の顔にさわった。風は少年と砂漠の会話を知っていた。風はすべてを知っているからだった。風は世界中を吹きわたり、誕生した場所もなければ、死ぬ場所もなかった。

「助けてください」と少年が言った。「ある日、あなたは愛する人の声を僕に運んできてくれました」

「おまえに砂漠と風のことばを教えたのは誰だ？」

「私の心です」と少年が答えた。

風はたくさんの名前を持っていた。世界のこの地域では、それはシロッコと呼ばれていた。海から東の方へ、水蒸気を運ぶからだった。少年の遠い故郷の国では、風はレバンタールと呼ばれていた。その風が砂漠の砂と、ムーア人の戦いの叫び声を運んでくると、人々は信じていたからだった。たぶん、彼の羊たちが住んでいた草原のむこう側では、風はアンダルシアから吹いてくると、人々は思っているだろう。しかし、実は、風はどこから来るわけでもなく、どこに吹いてゆくわけでもなかった。それが、風が砂漠よりも偉大な理由だった。いつの日か、誰かが砂漠に木を植え、そこで羊を飼うかもしれない。しかし、風を飼いならすことは、決してできないのだ。

「おまえは風にはなれない」と風が言った。「おまえと私はまったく別のものだ」

「それは正しくありません」と少年は言った。「僕は旅をして、錬金術の秘密を学びました。僕は自分の中に、風も砂漠も、海も星も、宇宙にあるすべてのものを持っています。僕たちはみな、同じ手によって作られ、同じ魂を持っています。僕はあなたのようになって、世界中、どこにでも行けるようになりたいのです。海を渡り、僕の宝物を隠している砂を吹き払い、愛する女性の声を運びたいのです」

「おまえが先日、錬金術師と話していることを、私は聞いていた」と風が言った。「彼はすべてのものには、それぞれの運命があると言っていた。だが、人は自分を風に変えることはできないよ」

「ちょっとの間でいいから、風になる方法を僕に教えてください」と少年は言った。「そうすれば、あなたと僕は人間と風の無限の可能性について、話し合うことができます」

風の好奇心が頭をもたげた。そんなことは今まで一度もなかったことだった。風はそうしたことについて話がしたかったが、人を風に変える方法は知らなかった。しかも、風はすでに、他の多くのことについてはどうすればよいか知っていた。風は砂漠を作り、船を沈め、森全体をなぎ倒し、音楽や不思議な音にあふれた都会を吹きぬけた。風は自分には限界がないと思っていた。それなのに、ここにいる少年は、まだ他のことを風はできるはずだと言うのだった。

「これは僕たちが愛と呼んでいるものです」風が自分の頼みをもう少しで聞いてくれそうだと見てとって、少年が言った。「愛されている時、あなたは何でも創り出すことができます。愛されている時、あなたは何が起きているか、理解する必要はありません。すべてはあなたの中で起きているからです。そして、人は自分を風に変えることさえできるのです。もちろん、風が助けてくれればのことですが」

風は誇り高き者だった。そして、少年の言うことにいらいらしてきた。風はそれまでより強く吹き始めて、砂漠の砂をまき上げた。しかし、世界中をかけめぐってはいても、人を風に変える方法を自分は知らないということを、風は認めざるを得なかった。そして、風は愛については何も知らなかった。

「世界一周の旅をした時、私は人々が愛について語り、天国を見上げているのをよく見たものだった」と風が言った。風は自分の限界を認めなければならないので、怒っていた。

「たぶん、天に聞いた方がいいだろう」

「それならば、僕が天に聞きますから、少し助けてください」と少年が言った。「ここで激しい砂嵐を起こして、太陽をおおい隠してください。そうすれば、目がくらむことなく、僕は天を見ることができますから」

そこで、風は力のかぎり吹きまくり、空は砂でいっぱいになった。太陽は金色の円盤のようになった。

野営地では、ほとんど何も見えなくなった。砂漠の男たちはこれぐらいの風には、もう慣れていた。これはシマムと呼ばれていて、海の上の嵐よりも激しかった。馬は悲鳴をあげ、武器はみな砂だらけになった。

崖《がけ》の上では、司令官の一人が首領の方を見て言った。「もうやめさせた方がいいかもしれません!」

彼らには、ほとんど少年の姿は見えなかった。彼らの顔は青い布でおおわれていたが、目は恐怖を示していた。

「もうやめさせましょう」ともう一人の司令官が言った。

「わしはアラーの偉大さを見たいのだ」と首領が尊敬の念をこめて言った。「人が自分を風に変えるのを見たいのだ」

しかし、彼は恐怖を口にした二人の男の名前を、しっかりと心に刻みつけた。風がやんだら、すぐに二人を司令官の地位からはずそう。真の砂漠の男は恐れたりはしないものだ。

「風はあなたが愛について知っていると言っています」と少年は太陽に言った。「もし、愛についてご存知であれば、あなたは大いなる魂のこともご存知にちがいありません。それは愛によってできているからです」

「わしのいる場所からは」と太陽が言った。「大いなる魂を見ることができる。それはわしと連絡をとり合って、共に植物を育て、羊に日陰を探させるのだ。わしのいる場所を通して――地球からはずっと遠くなのだが――わしは愛し方を学んだ。もし、わしがここから少しでも地球に近づくと、地球のすべての生きものは死に絶え、地球の大いなる魂は存在できなくなってしまうことを、わしは知っている。だから、われわれはお互いを思いやっているのだ、そしてお互いを必要としている。わしは地球に生命とぬくもりを与え、地球はわしに生きてゆく理由を与えているのだ」

「あなたは愛をそのようなものとして知っている、というわけですね」と少年は言った。

「わしは地球の大いなる魂をよく知っている。宇宙をめぐる果てしない旅の間、長いことわれわれは話し合ったことがあるからだ。大いなる魂がわしに語ったところによると、最大の問題は、今までのところ、鉱物と植物だけしか、すべては一つだという事実を知らないということだそうだ。また、鉄は銅と同じになる必要はなく、銅は金と同じになる必要もないとも大いなる魂は言っていた。それぞれはかけがえのない存在として、それ独自の役割を果たしている。もし、すべてを書いた手が、天地創造の第五日目で作業をやめていれば、すべてのものが平和のシンフォニーを奏でていただろう。

しかし、第六日目もあった」と太陽は続けた。

「すべてを遠くから観察しているから、あなたは賢いのです」と少年は言った。「しかし、あなたは愛については何も知りません。もし、第六日目がなかったら、人間は存在しなかったでしょう。銅はずっと銅のままだったでしょう。そして、鉛はずっと鉛のままだったでしょう。すべてのものが、それぞれの運命を持っているということは、本当です。しかし、その運命はいつか実現します。そうなったら、それぞれのものは自分自身をより良いものへと変えて、新しい運命を得なければなりません。そしていつの日か、大いなる魂と一つになるのです」

太陽はよく考えてみた。そしてもっと明るく輝くことに決めた。太陽と少年の会話を楽しんでいた風は、太陽の光が少年の目をくらませないように、もっと強く吹き始めた。

「錬金術が存在するのは、そのためです」と少年は言った。「すべての人が自分の宝物を探し出して、以前の人生よりも良くなりたいと思うからなのです。鉛は、世界がそれ以上鉛を必要としなくなるまで、鉛としての役割を果たすでしょう。しかし、そのあとは、鉛は金に変わらなくてはなりません。

これこそ、錬金術師が行うことなのです。私たちが今の自分より良いものになろうと努力すれば、自分のまわりのすべてのものも良くなるということを、彼らは教えているのです」

「で、おまえはなぜ、わしが愛について知らないと言うのかね?」と太陽が少年にたずねた。

「それは、愛とは砂漠のように動かないものではないからです。また、風のように動きまわるものでもありません。愛は、あなたのように、すべてのものを遠くから見守っていることでもありません。愛とは、大いなる魂を変え、より良いものにする力なのです。僕がはじめて大いなる魂と触れ合った時、僕は大いなる魂は完全だと思っていました。しかし、その後、大いなる魂もまた、他の創造物と同じであり、情熱も持っていれば争いもするということがわかりました。大いなる魂を育てるのは、私たちなのです。そして、私たちが良くなるか悪くなるかによって、私たちの住む世界は良くも悪くもなります。そして、そこで愛の力が役に立つのです。なぜなら、私たちは愛する時、もっと良くなろうと必ず努力するからです」

「それで、おまえはわしにどうしてほしいのかね?」と太陽がたずねた。

「あなたに助けていただいて、私を風に変えたいのです」と少年が答えた。

「わしは創造物の中で最も賢い者だと言われている」と太陽が言った。「しかし、わしはおまえを風に変える方法は知らない」

「では、私は誰に頼めばいいのですか?」

太陽はしばらく考えていた。風は耳をそばだてて聞いていた。そして太陽の知恵にも限界があるということを、世界の隅々まで知らせたかった。大いなることばを話すこの少年の希望を、太陽でさえかなえてやれないということを吹聴《ふいちょう》したいと思った。

「すべてを書いた手と話してみなさい」と太陽が言った。

風は喜びの雄たけびをあげ、それまで以上に強く吹いた。テントは地面につないだ綱がちぎれて吹き飛び、動物たちはくさりが切れて自由になった。崖の上では、男たちが互いにしがみついて、吹き飛ばされないように必死だった。

少年はすべてを書いた手の方に向きなおった。そうしながら、彼は宇宙がしんと静まるのを感じた。彼は何も話さないことに決めた。

少年の心から愛の流れがほとばしり出た。そして彼は祈り始めた。それは、いまだかつて一度も行ったことのない祈りだった。言葉も願いごともない祈りだった。羊のために牧草地が見つかった時の感謝の祈りでもなく、クリスタルがもっと売れるように願う祈りでもなく、愛する女性が彼の帰りを待ち続けているように乞《こ》い願う祈りでもなかった。静寂の中で少年はすべてを悟った。砂漠も風も太陽も、その手によって書かれたしるしを理解しようと努力していた。そして、自分の道を追求し、一片のエメラルドに書かれている事柄を理解しようと努力していた。前兆は地上にも空にもいたるところにばらまかれていたが、外見からはその意味も重要性も知ることはできなかった。そして、砂漠も風も太陽も人間も、自分たちがなぜ創られたのか、知らなかった。しかし、その手はこのすべてに対し、理由を知っていた。そして、この手だけが奇蹟《きせき》を起こして、海を砂漠に変え、あるいは人を風に変えることができた。なぜなら、六日間の天地創造が大いなる作業に進化するまで宇宙を動かしてきたのは、より大きな意志であることを、その手だけが理解していたからだった。

少年は大いなる魂に到達し、それが神の魂の一部であることを知った。そして、神の魂はまた彼自身の魂であることを悟った。そして、一人の少年が、彼自身が、奇蹟を起こすことができると、知ったのだった。

☆

その日、シマムはかつてないほど吹き荒れた。その後何世代にもわたって、砂漠の最強の首領に挑戦して自分を風に変え、軍隊の野営地をほとんど破壊した少年の伝説を、アラブ人たちは語り伝えることになった。

シマムがやんだ時、すべての人は少年がいた場所を見た。しかし、少年はもうそこにはいなかった。彼は、野営地の反対側にある、砂に埋った見張台の横に立っていた。

男たちは少年の魔術に恐れおののいた。しかし、ほほ笑みを浮べている二人の男がいた。錬金術師と首領だった。錬金術師は完璧《かんぺき》な弟子を発見したからであり、首領はその弟子が神の栄光を理解したことを知ったからだった。

次の日、首領は少年と錬金術師に別れを告げ、二人の望むところまで護衛隊をつけてくれたのだった。

☆

彼らはまる一日、馬に乗って進んだ。その日の午後遅く、二人はコプト人の修道院に行き着いた。錬金術師は馬からおりると、護衛隊に野営地に戻るように言った。

「ここから先、おまえは一人で行くのだ」と錬金術師は言った。「ここからピラミッドまで、あと三時間だよ」

「ありがとう」と少年は言った。「あなたは僕に大いなることばを教えてくれました」

「わしはおまえがすでに知っていたことを、呼び覚ましただけだ」

錬金術師は修道院の門をたたいた。黒い服を着た修道士が門のところに現われた。二人はコプト語でしばらく話していたが、錬金術師は少年に中へ入るように言った。

「しばらくの間、台所を使わせてくれるように頼んだのだ」と錬金術師はにっこり笑って言った。

二人は修道院の裏手にある台所に行った。錬金術師は火をおこした。修道士が鉛をいくらか持ってくると、錬金術師はそれを鉄の平なべに入れた。鉛がとけて液体状になった時、錬金術師は袋の中から例の奇妙な黄色い玉を取り出した。彼はそれを削って、一本の髪の毛のように細い破片を作ると、それをろうで包み、鉛がとけているなべの中へ入れた。まぜ合わせると、赤っぽい血のような色になった。錬金術師は火からなべをおろすと、横に置いて冷ましました。その間、彼は修道士と部族間の戦争について話していた。

「戦争は長びくと思いますよ」と彼は修道士に言った。

修道士は困っていた。隊商が、戦争が終るのをギザでずっと待っているからだった。

「しかし、神の意志が行われているのです」と修道士が言った。「その通りです」と錬金術師が答えた。

なべが冷えた時、修道士と少年はそれを見て目がくらんだ。鉛はなべの形に固まっていたが、すでに鉛ではなかった。それは金になっていた。

「私もいつか、この術を習えますか？」と少年がたずねた。

「これはわしの運命だ。おまえの運命ではない」と錬金術師が答えた。「しかし、わしはできるということをおまえに見せたかったのだよ」

彼らは修道院の門のところへ戻った。そこで錬金術師は円型の金を四つにわけた。

「これはあなたにあげよう」と彼は言って修道士にその一つを差し出した。「あなたの巡礼者に対する親切へのお礼です」

「しかし、これは私のした親切をはるかに越えていますよ」と修道士は言った。

「二度とそんなことを言ってはいけない。命が聞いているかもしれないからね。そして次には、あなたに少ししかくれないかもしれませんよ」

錬金術師は少年の方を向いた。「これはおまえにあげよう。首領に渡したものの償いだ」

少年はもう少しで、それは自分が首領に渡したものをはるかに越えていると言うところだった。しかし、錬金術師が修道士に言ったことを聞いていたので、黙っていた。

「そして、これはわしのものだ」一つを自分のもとに残して、錬金術師は言った。「部族が戦っている砂漠に戻らなければならないからね」

彼は四つ目の固まりを手に取って修道士に渡した。

「これは少年のためです。もし、彼がこれを必要とするならばね」

「でも、僕は自分の宝物を探しに行くんですよ」と少年は言った。「そのすぐ近くにいるのですから」

「おまえは見つけるとわしは確信している」と錬金術師は言った。

「ではどうしてこれを？」

「おまえはすでに二度、たくわえたものを失った。一回は泥棒に盗まれ、一回は首領にやってしまった。わしは年寄りで、迷信深いアラブ人だから、ことわざを信じている。『一度起きたことは二度と起こらない。二度起きたことは必ず三度起きる』ということわざがある」

二人はそれぞれの馬に乗った。

☆

「夢に関する物語をおまえに話しておきたい」と錬金術師が言った。

少年は馬を近づけた。

「古代ローマのティベリウス帝の時代に、二人の息子を持つ善良な男がいた。息子の一人は軍隊にいて、ローマ帝国の最も遠い地方に派遣されていた。もう一人の息子は詩人だった。美しい詩を書いては、ローマ中の人々を喜ばせていた。

ある夜、父親は夢を見た。天使が彼の前に現われて、二人の息子のうちの一人の言葉は、これから永遠に世界中で学ばれ、くり返されるであろうと告げた。父親は夢から覚めると、ありがたくて泣いた。人生は寛大であり、どんな父親でも誇りに思うようなことを、知らされたからだった。

しばらくしてその父親は、戦車の車輪にひかれそうになった子供を助けようとして、死んでしまった。彼は一生、正しく公平に生きたので、まっすぐに天国に行った。そして、夢に出てきた天使に会った。

『あなたはいつもとても善良な方でした』と天使は彼に言った。『あなたは人生を愛に満ちて生き、尊敬のうちに死にました。ですから、私があなたの望みを何でもかなえてあげましょう』

『私にとって、人生はすばらしいものでした』と男は言った。『あなたが夢に現われた時、私の努力はすべて報われたと感じました。なぜなら、私の息子の詩が、将来何世代にもわたって読まれると知ったからです。私は自分のためには何もいりません。しかし、父親ならだれでも、自分が愛し教育した子供が得た名声を、誇りに思うことでしょう。遠い将来のいつか、私は息子の言葉を見たいと思います』

天使は男の肩に手を触れた。すると二人はずっと先の将来へ飛んで行った。彼らは広大な場所で、知らない言葉を話している何千人という人々に囲まれていた。

男は幸せで泣いた。

涙を流しながら、彼は天使に言った。『息子の詩は不滅だと、私は知っていました。息子のどの詩をこの人たちがくり返しているのか、教えてくれますか？』

天使は男に近よると、やさしく彼をそばのベンチに連れてゆき、そこに二人で腰をおろした。

『詩人だった息子さんの詩は、ローマではとても人気がありました』と天使は言った。『みんながそれを愛し、楽しんでいました。しかし、ティベリウスの治世が終った時、彼の詩は忘れ去られてしまいました。あなたが今聞いている言葉は、軍隊にいた息子さんの言葉です』

男は驚いて天使を見た。

『あなたの息子は遠くで任務につき、百卒長になりました。彼は正しく善良な男でした。

ある日の午後、彼の召使いの一人が病気になって死にそうになりました。あなたの息子は、病気をなおすことができるラビの話を耳にしました。そして、何日も何日も馬に乗って、その男を探しに出かけました。その途中で、自分が探している男は神の子だと、彼は知りました。また、その男にいやされた人々にも会いました。そして、その人々はあなたの息子に、その男の教えを伝えました。彼はローマの百卒長だったにもかかわらず、その教えに帰依しました。それから間もなく、彼は探している男がいる場所に着きました。

彼はその男に、自分の召使いの一人が重病であると言いました。するとそのラビは、今すぐ、彼と共に病人の家へ行こうとしました。しかし、百卒長は信仰の厚い男でした。ラビの目を見つめた時、彼はその男が確かに神の子であるとわかりました。

そして、あなたの息子はこう言いました』と天使は男に言った。『その時、あなたの息子がラビに向かって言ったのは、次のような言葉でした。そして、その言葉は決して忘れられることはありませんでした。〈主よ、私の屋根の下にあなたにおいでいただくほど、私は価値のある者ではございません。ただ、お言葉をください。そうすれば、私の召使いはなおります〉』」

錬金術師は言った。「何をしていようとも、この地上のすべての人は、世界の歴史の中で中心的な役割を演じている。そして、普通はそれを知らないのだ」

少年はほほ笑んだ。それまで彼は、人生とは何かという問題が羊飼いにとってそれほど大切なことだとは、想像したこともなかった。

「さようなら」と錬金術師が言った。

「さようなら」と少年が言った。

☆

少年は自分の心に熱心に耳を傾けながら、何時間か砂漠を馬で進んでいった。宝物がどこに隠されているか、彼の心が教えてくれるはずだった。

「おまえの宝物のある場所に、おまえの心もある」と錬金術師は少年に言っていた。

しかし、彼の心は他のことを話していた。心は誇らし気に、違った時に二回見た夢に従うために、羊の群れを手離した羊飼いの物語を語った。そして、運命のことや、遠い土地や美しい女性を求めて、その時代の人々の観念に逆らって旅に出た男たちについて語った。さらに、旅、本、発見、変化などについて語り続けた。

彼がさらにもう一つの砂丘を登ろうとした時、彼の心がささやいた。「あなたが涙を流す場所に気をつけなさい、そこに私がいます。そしてそこにあなたの宝物があります」

少年は砂丘をゆっくりと登っていった。満月が、星のきらめく空に再び昇った。彼がオアシスを発《た》ってから、一ヵ月がたっていた。月の光が砂丘に影を作り、砂漠は海のうねりのように見えた。それは少年に、砂漠で馬がうしろ足で立ちあがり、錬金術師が彼の前に現われた日のことを思い出させた。月は砂漠の静寂と、宝物を探す男の上を照らしていた。彼が砂丘の頂上に達した時、彼の心はおどり上った。月の光と砂漠の輝きに照らされて、荘厳で堂々としたエジプトのピラミッドがそこに立っていた。

少年はひざまずくと、声をあげて泣いた。そして、自分の運命を信じさせてくれたこと、自分を導いて王様、商人、イギリス人、錬金術師に会わせてくれたことを、神に感謝した。それにもまして、愛は男が運命を追求することを決して邪魔しはしないと言った女性と出会えたことを、彼は感謝した。

もし欲すれば、彼は今、オアシスに戻り、ファティマのもとへ帰って、平凡な羊飼いとして人生を生きることもできた。錬金術師でさえ、大いなることばを理解し、鉛を金に変える方法を知っていても、砂漠に住み続けていた。彼は自分の科学や技を誰かに証明する必要はなかったのだ。「僕は自分の運命を実現する途中で、必要なことをすべて学び、夢見たことをすべて体験した」と少年は自分に言った。

しかし、彼は今ここで、まさに自分の宝物を見つけようとしていた。そして、その目的が達成されなければ、何ごとも完成しはしないということを、思い出していた。少年は自分のまわりの砂を見た。そして、自分の涙が落ちた場所に、一匹のスカラベ（ふんころがし）が砂の上をあわてて逃げてゆくのを見た。彼は砂漠にいる間に、エジプトでは、スカラベは神のシンボルであることを学んでいた。

もう一つの前兆だった！　少年は砂丘を掘り始めた。そして、クリスタル商人がいつか言った言葉を思い出した。誰でも自分の裏庭にピラミッドを作ることができると、彼は言っていた。たとえ死ぬまで石の上に石を積んだとしても、ピラミッドは作れはしないと、今の少年にはわかっていた。

一晩中、少年は自分が選んだ場所を掘ってみたが、何も見つけることができなかった。ピラミッドが建てられてからの何千年もの重さに、おし潰《つぶ》されそうな気がした。しかし、彼は止めなかった。そして風と戦いながら苦心して掘り進んだ。風は時々、彼が掘った穴を再び砂で埋めてしまった。彼の手は傷つき疲れはてていた。しかし、少年は自分の心に従った。彼の涙が流れ落ちた場所を掘れと、心は言ったのだった。

少年が、つきあたった岩を引っ張り出そうと一生懸命になっていた時、足音が聞こえた。数人の人影が彼に近づいてきた。彼らは背中に月の光を浴びていたので、少年には彼らの目も顔も見えなかった。

「ここで何をしているのだ？」と人影の一人が返答を迫った。

少年は恐ろしくて、答えられなかった。彼は自分の宝物がどこにあるか発見したのだ。そして、何が起こるのか、こわがっていた。

「おれたちは部族戦争の難民だ。おれたちは金《かね》がいる」と別の人影が言った。「おまえはそこに何を隠しているのだ?」

「何も隠していません」と少年は答えた。

しかし、彼らの一人が少年をつかまえて、穴から引きずり出した。別の一人は少年のかばんをさぐって、金の固まりを見つけた。「ここに金があった」と彼は言った。

月が、少年をつかまえたアラブ人の顔を照らした。彼の目に少年は死の影を見た。

「きっと、こいつはもっとたくさんの金を土の中に隠しているにちがいない」

彼らは少年に掘り続けさせたが、いくら掘っても何も出てこなかった。太陽が昇り始めると、男たちは少年をなぐり始めた。少年は傷つき、血を出し、服はぼろぼろに引きちぎられた。彼は自分の死が間近であることを感じた。

「死んでしまったら、お金は何の役に立つというのかね? お金が命を救ってくれることは、めったにない」と錬金術師は言っていた。ついに、少年は男たちに向かって叫んだ。

「僕は宝物を探して掘っていたんだ!」そして、彼のくちびるは腫れ上り、血を出していたにもかかわらず、少年は男たちに、ピラミッドのそばに隠されている宝物の夢を、二回も見たことを話した。

一団のリーダーらしき男が、もう一人の男に向かって言った。「もうよい。こいつは他に何も持ってはいまい。この金は盗んだものにちがいない」

少年は、ほとんど意識を失って砂の上に倒れた。リーダーの男は彼の体をゆすって言った。「おれたちは行くぞ」

しかし、立ち去る前に、彼は少年のところへ戻ってきて言った。「おまえは死にはしない。生きのびるだろう。そして、人はそんなに愚かではいけないと、学ぶだろう。二年前のことだ。まさにこの場所で、おれも何回も同じ夢を見た。スペインの平原に行き、羊飼いと羊たちが眠る見捨てられた教会を探せという夢だった。その夢の中では、祭壇だった場所に一本のいちじくの木がはえていた。そのいちじくの根元を掘れば、そこに隠された宝物が見つかるだろうと、おれは言われたのだ。しかし、ただ同じ夢を何回も見たからといって、砂漠を横断するほど、おれは愚かではない」

そして、彼らは行ってしまった。

少年はふらふらと立ち上ると、もう一度ピラミッドを見た。ピラミッドは、少年を笑っているようだった。少年は笑いかえした。彼の心は、喜びではち切れそうだった。

なぜなら、彼は今、宝物のありかを知ったからだった。

エピローグ

夜のとばりがおりる頃、少年はその見捨てられた小さな教会に着いた。あのいちじくの木は、今も祭壇に立っていた。そして星が半ば朽ちかけた屋根を通して見えた。少年は羊と一緒にここに来た時のことを憶えていた。あの日はとても平和な夜だった……夢のことを除いては。

今、少年は羊と一緒ではなく、そのかわりにシャベルを持っていた。

彼は空を長い間眺めていた。それからナップサックからぶどう酒のびんを取りだすと、少し飲んだ。そして、錬金術師と一緒に砂漠にすわって星を見ながらぶどう酒を飲んだ夜のことを思い出した。彼は自分が旅したたくさんの道と、神が自分の宝物のありかを示してくれるために選んだ、不思議な方法のことを考えた。もし彼がくり返し見た夢の重要性を信じなかったら、彼はジプシーの女や王様やどろぼうなどに出会わなかったことだろう……「他にもいろいろな人に会った。でも、その道は前兆の中に書かれていて、僕がまちがうことはあり得なかったのだ」彼は独り言を言った。

少年は眠ってしまった。そして目覚めた時、太陽はすでに高かった。彼はいちじくの根元を掘り始めた。

「年老いた魔術師よ」と少年は空に向かって叫んだ。「あなたは物語の全部を知っていたのですね。あなたが金の一部を修道院に残しておいてくださったおかげで、僕はこの教会に戻ってこられました。修道士は僕がぼろぼろになって戻った時、笑いました。そんなことを僕にさせなくてもよかったのではありませんか？」

「いいや」という声を、少年は風の中に聞いた。「もし、わしがおまえに話していたら、おまえはピラミッドを見なかったことだろう。ピラミッドは美しくなかったかね？」

少年はほほ笑んだ。そして掘り続けた。半時間後、彼のシャベルは何か固いものに突きあたった。一時間後、少年の前にスペイン金貨の入った大きな箱があった。中には、宝石や、赤と白の羽根でかざられた金のマスクや、宝石がうめこまれた石像が入っていた。それはずっと長い間、忘れ去られていた戦利品で、征服者が子孫に伝えるのを忘れてしまったものだった。

少年はウリムとトムミムを袋から取りだした。彼はその石をたった一度しか使わなかった。それは市場にいたあの朝のことだった。少年の人生と彼の行く手には、いつも十分に前兆による導きがあった。

彼はウリムとトムミムを箱の中に置いた。それらの石は彼の新しい宝物の一部となった。それは二度と会えないあの年老いた王様を思い出させてくれるからだった。

人生は運命を追求する者にとっては、本当に寛大だと少年は思った。その時、少年は、ジプシーの女に約束した宝物の十分の一を渡すために、タリファに行かなくてはならないことを思い出した。「ジプシーたちは本当に頭がいい」と彼は思った。それはたぶん、彼らがよく旅をするせいだろう。

風が再び吹き始めた。アフリカから吹いてくるレバンタールだった。それは砂漠のにおいも、ムーア人の侵入の脅威も運んではこなかった。そのかわり、少年の知っている香りとキスの感触を運んできた——そのキスはずっと遠くからゆっくりとゆっくりとやって来て、少年のくちびるの上でとまった。

少年はにっこりとした。それは彼女からとどいたはじめてのキスだった。

「僕はすぐ戻るよ、ファティマ」と少年は言った。

あとがき

山川紘矢・亜希子

本書は一九八八年に出版された、ブラジルの人気作家、パウロ・コエーリョの「エル・アルケミスタ」の日本語訳です。原著書はポルトガル語で書かれていますが、この日本語訳は一九九三年、著者自身とアメリカ人のアラン・クラークが協力して英訳した「The Archemist」（ハーパーコリンズ社刊）から訳しています。日本語訳は最初、一九九四年十二月に地湧社より単行本として発行されていますが、今回、角川文庫の一冊として、文庫本化されることになったものです。

パウロ・コエーリョは一九四七年、ブラジルのリオデジャネイロに生まれました。法律学校に入学したものの、一九七〇年に中途退学して、世界各地へ放浪の旅に出ました。メキシコ、ペルー、ボリビア、チリなどの中南米諸国を旅したのち、ヨーロッパと北アフリカを放浪しました。

三年間の世界旅行を終ってブラジルに戻ったパウロは、流行歌の作詞家となり、ブラジルの人気歌手ラウル・セイサスの歌う彼の詞は大ヒットになりました。

一九七四年、反政府運動の嫌疑をかけられて投獄されるという憂き目にも会いましたが、出獄してからはレコードの制作に携りました。五年後、彼は急にすべてを投げ捨てて、再び世界を巡る旅に出ました。この旅で彼は様々な出会いと出来事を体験して、作家として歩むための基礎を築いたとのことです。

その後、彼は一九八七年に「星の巡礼」（地湧社刊 原題 The Diary of a Magus）を出版して、作家としての第一歩を踏み出しました。この本は、彼がスペインの巡礼の道（ピレネー山脈をこえてサンチャゴ・デ・コンポステーラに至る七二〇キロの道）を歩いた体験を描いたものです。最初は販売ルートも宣伝もうまくゆかず、なかなか売れませんでしたが、次第に口コミで評判が広がり、一九八七年末にはベストセラーリストに載るほどになりました。

しかし、パウロが作家として高い評価を得たのは、この「アルケミスト」を一九八八年に出版してからのことでした。羊飼いの少年サンチャゴが夢に従って旅に出て、ついには錬金術の秘密を手に入れるというこの童話風の物語は、サン・テグジュペリの「星の王子さま」に並び称されるほどの賞讃を浴びました。その年の内にブラジル国内で二十万冊をこえる大ベストセラーとなり、パウロ・コエーリョの名を一躍有名にしました。その後、彼は一九九〇年に「ブリーダ」、一九九二年に「ヴァルキリーズ」、一九九四年に「ピエドラ川のほとりで、私は泣いた」（邦訳　池湧社刊）と、続けざまに作品を発表し、そのいずれもが、ブラジル国内のみならず、ヨーロッパ諸国やアメリカに於ても多くの人々に熱狂的に迎えられています。ある雑誌の特集によれば、パウロ・コエーリョは世界中で最も多くの人々に読まれている五十人の作家の一人にあげられているとのことです。彼の作品の中で世界中で最も広く読まれているのが本書、「アルケミスト」です。ブラジルでは勿《もち》論《ろん》のこと、フランスやイタリアなどでもベストセラーリストの一位に何回も顔を出し、各国で文学賞を獲得しています。しかも、この本は十年に一度、現われるか否かの名著であると言われており、これからもずっと、人々に末永く読みつがれ、多くの人々の心をゆり動かしてゆくことでしょう。

現代人は夢を忘れてしまった、と良く言われます。子供たちは学業に追われ、自分の本当の夢が何であるか、覚えている暇も見つけだす機会も失っています。夢を諦《あきら》めずにその夢を生きることがいかに大切であるかを、この本は私達に教えてくれるのではないでしょうか。子供から大人まで、すべての方々に楽しんでいただきたいと思います。

一九九七年一月

本書は一九九四年一二月、地湧社より刊行された
単行本を文庫化したものです。

アルケミスト

夢《ゆめ》を旅《たび》した少年《しょうねん》

パウロ・コエーリョ
山川《やまかわ》紘矢《こうや》＋山川《やまかわ》亜希子《あきこ》＝訳

平成９年 ２月25日　初版発行
平成30年 ４月30日　68版発行

発行者●郡司 聡

発行●株式会社KADOKAWA
〒102-8177　東京都千代田区富士見2-13-3
電話 03-3238-8521（カスタマーサポート）
http://www.kadokawa.co.jp/

角川文庫 10305

印刷所●旭印刷株式会社　製本所●株式会社ビルディング・ブックセンター

表紙画●和田三造

ISBN978-4-04-275001-7　C0197

角川文庫発刊に際して

角　川　源　義

第二次世界大戦の敗北は、軍事力の敗北であった以上に、私たちの若い文化力の敗退であった。私たちの文化が戦争に対して如何に無力であり、単なるあだ花に過ぎなかったかを、私たちは身を以て体験し痛感した。西洋近代文化の摂取にとって、明治以後八十年の歳月は決して短かすぎたとは言えない。にもかかわらず、近代文化の伝統を確立し、自由な批判と柔軟な良識に富む文化層として自らを形成することに私たちは失敗して来た。そしてこれは、各層への文化の普及滲透を任務とする出版人の責任でもあった。

一九四五年以来、私たちは再び振出しに戻り、第一歩から踏み出すことを余儀なくされた。これは大きな不幸ではあるが、反面、これまでの混沌・未熟・歪曲の中にあった我が国の文化に秩序と確たる基礎を齎らすためには絶好の機会でもある。角川書店は、このような祖国の文化的危機にあたり、微力をも顧みず再建の礎石たるべき抱負と決意とをもって出発したが、ここに創立以来の念願を果すべく角川文庫を発刊する。これまで刊行されたあらゆる全集叢書文庫類の長所と短所とを検討し、古今東西の不朽の典籍を、良心的編集のもとに、廉価に、そして書架にふさわしい美本として、多くのひとびとに提供しようとする。しかし私たちは徒らに百科全書的な知識のジレッタントを作ることを目的とせず、あくまで祖国の文化に秩序と再建への道を示し、この文庫を角川書店の栄ある事業として、今後永久に継続発展せしめ、学芸と教養との殿堂として大成せんことを期したい。多くの読書子の愛情ある忠言と支持とによって、この希望と抱負とを完遂せしめられんことを願う。

一九四九年五月三日

角川文庫海外作品

星の巡礼

パウロ・コエーリョ
山川紘矢・山川亜希子＝訳

神秘の扉を目の前に最後の試験に失敗したパウロ。彼が奇跡の剣を手にする唯一の手段は「星の道」という巡礼路を旅することだった。自らの体験をもとに描かれた、スピリチュアリティに満ちたデビュー作。

ピエドラ川のほとりで私は泣いた

パウロ・コエーリョ
山川紘矢・山川亜希子＝訳

ピラールのもとに、ある日幼なじみの男性から手紙が届く。久々に再会した彼から愛を告白され戸惑うピラール。しかし修道士でヒーラーでもある彼と旅するうちに、彼女は真実の愛を発見する。

第五の山

パウロ・コエーリョ
山川紘矢・山川亜希子＝訳

混迷を極める紀元前9世紀のイスラエル。指物師として働くエリヤは子供の頃から天使の声を聞いていた。だが運命はエリヤのささやかな望みをかなえず、苦難と使命を与えた……。

ベロニカは死ぬことにした

パウロ・コエーリョ
江口研一＝訳

ある日、ベロニカは自殺を決意し、睡眠薬を大量に飲んだ。だが目覚めるとそこは精神病院の中。後遺症で残りわずかとなった人生を狂人たちと過ごすことになった彼女に奇跡が訪れる。

悪魔とプリン嬢

パウロ・コエーリョ
旦　敬介＝訳

「条件さえ整えば、地球上のすべての人間はよろこんで悪をなす」悪霊に取り憑かれた旅人が、山間の田舎町を訪れた。この恐るべき考えを試すために――。

角川文庫海外作品

人生は廻る輪のように

エリザベス・キューブラー・ロス
上野圭一＝訳

国際平和義勇軍での難民救済活動、結婚とアメリカへの移住、末期医療と死の科学への取り組み、そして大ベストセラー『死ぬ瞬間』の執筆。死の概念を変えた偉大な精神科医による、愛とたたかいの記録。

ライフ・レッスン

エリザベス・キューブラー・ロス
デーヴィッド・ケスラー
上野圭一＝訳

「ほんとうに生きるために、あなたは時間を割いてきただろうか」。幾多の死に向き合い、自身も幾度となく死の淵を覗いた終末期医療の先駆者が、人生の最後で遂に捉えた「生と死」の真の姿。

わたしの生涯

ヘレン・ケラー
岩橋武夫＝訳

幼い頃、病魔に冒され、聴力と視力、言葉を失ったヘレン。大きな障害を背負った彼女を、サリバン先生は暖かく励ました。ハンディキャップを克服すべく博士号を受け、ヘレンは「奇跡の人」となる。感動の自伝。

星の王子さま

サン＝テグジュペリ
管 啓次郎＝訳

砂漠のまっただ中に不時着した飛行士の前に現れた不思議な金髪の少年。少年の話から、彼の存在の神秘が次第に明らかに……生きる意味を問いかける永遠の名作、斬新な新訳で登場。

霊界日記

エマヌエル・スウェーデンボルグ
高橋和夫＝訳編

スウェーデンの天才科学者・神秘思想家である著者。本書はたぐいまれな霊界の探究者が綴った二十年間の日記の抄訳。「死と生とは何か」という人類最大の問い掛けに、明確な回答を与える名著。

角川文庫海外作品

オリバー・ツイスト(上)(下)

チャールズ・ディケンズ
北川悌二＝訳

19世紀初め、イギリスの田舎で孤児として生まれ、救貧院で育ったオリバー・ツイスト。様々な苦難の末、自由を求めてロンドンへとたどり着くものの、さらなる危険と冒険の日々が待ち受けていた。

白夜

ドストエフスキー
小沼文彦＝訳

ペテルブルグに住む貧しいインテリ青年の孤独と空想の生活に、白夜の神秘に包まれた一人の少女が姿を現し、夢のような淡い恋心が芽生え始める頃、この幻はもろくもくずれ去ってしまう……。

新版 人生論

トルストイ
米川和夫＝訳

「人生とはなにか?」「いかに生きるべきか?」。この終生の課題に解答、結論を下した書として、全世界でいちばん多く読まれている人生読本。深遠な哲理が、やさしくわかりやすく書かれている。

シャーロック・ホームズの冒険

コナン・ドイル
石田文子＝訳

世界中で愛される名探偵ホームズと、相棒ワトスン医師の名コンビの活躍が、最も読みやすい最新訳で蘇る! 女性翻訳家ならではの細やかな感情表現が光る「ボヘミア王のスキャンダル」を含む短編集全12編。

シャーロック・ホームズの回想

コナン・ドイル
駒月雅子＝訳

ホームズとモリアーティ教授との死闘を描いた問題作「最後の事件」を含む第2短編集。ホームズの若き日の冒険など、第1作を超える衝撃作が目白押し。発表当時に削除された「ボール箱」も収録。

角川文庫海外作品

嵐が丘
E・ブロンテ
大和資雄＝訳

ブロンテ三姉妹の一人、エミリーは、このただ一編の小説によって永遠に生きている。ヨークシャの古城を舞台に、暗いかげりにとざされた偏執狂の主人公と、その愛人との悲惨な恋を描いた傑作。

華麗なるギャツビー
フィッツジェラルド
大貫三郎＝訳

途方もなく大きな邸宅で開いたお伽話めいた豪華なパーティー。デイジーとの楽しい日々は、束の間の暑い夏の白昼夢のようにはかなく散っていく。『失われた時代』の旗手が描く〝夢と愛の悲劇〟。

ベンジャミン・バトン
数奇な人生
フィッツジェラルド
永山篤一＝訳

生まれたときは老人だったベンジャミン・バトン。彼は時間の経過と共に徐々に若返っていく。彼を最後に待つものは——（「ベンジャミン・バトン」）。フィッツジェラルドの未訳の作品を厳選した傑作集。

完訳ギリシア・ローマ神話（上）（下）
トマス・ブルフィンチ
大久保　博＝訳

すべての大いなる物語は、ここに通じる——。西欧文化の源流である、さまざまな神話や伝説。現代に息づくその精神の真髄を平易な訳で、親しみやすく紹介する。めくるめく壮大な物語がつまった、人類の遺産。

ダ・ヴィンチ・コード（上）（中）（下）
ダン・ブラウン
越前敏弥＝訳

ルーヴル美術館のソニエール館長が館内のグランド・ギャラリーで異様な死体で発見された。殺害当夜、館長と会う約束をしていたハーヴァード大学教授ラングドンは、警察より捜査協力を求められる。

角川文庫海外作品

天使と悪魔 (上)(中)(下)

ダン・ブラウン
越前敏弥＝訳

ハーヴァード大の図像学者ラングドンはスイスの科学研究所長からある紋章について説明を求められる。それは十七世紀にガリレオが創設した科学者たちの秘密結社〈イルミナティ〉のものだった。

デセプション・ポイント (上)(下)

ダン・ブラウン
越前敏弥＝訳

国家偵察局員レイチェルの仕事は、大統領へ提出する機密情報の分析。大統領選の最中、レイチェルは大統領から直々に呼び出される。NASAが大発見をしたので、彼女の目で確かめてほしいというのだが……。

パズル・パレス (上)(下)

ダン・ブラウン
越前敏弥・熊谷千寿＝訳

史上最大の諜報機関にして、暗号学の最高峰・米国家安全保障局のスーパーコンピュータが狙われる。対テロ対策として開発されたが、全通信を傍受・解読できるこのコンピュータの存在は、国家機密だった……。

聖なる予言

ジェームズ・レッドフィールド
山川紘矢・山川亜希子＝訳

南米ペルーの森林で、古代文書が発見された。そこには人類永遠の神秘、魂の意味に触れた深遠な九つの知恵が記されているという。偶然とは思えないさまざまな出逢いのなかで見いだされる九つの知恵とは。

第十の予言

ジェームズ・レッドフィールド
山川紘矢・山川亜希子＝訳

ペルーの森林で「すべては偶然ではない」ことを学んだ著者。霊的存在としての人類は、なぜ地球上に出現したのか。そしてこれから何処に向かおうとしているのか。世界的ベストセラー『聖なる予言』の続編。